LES JOIES
DE LA LECTURE

SIMONE BUSSIÈRES / SUZANNE PARADIS

LES JOIES
DE LA LECTURE

5e année

manuel de lecture

guérin Montréal
Toronto
4501, rue Drolet
Montréal (Québec) H2T 2G2 Canada
Tél.: (514) 842-3481
Téléc.: (514) 842-4923

Dépôt légal, 1er trimestre 1994
ISBN 2-7601-3481-4
Bibliothèque nationale du Québec
Bibliothèque nationale du Canada
IMPRIMÉ AU CANADA

Révision linguistique: Roseline Desforges
Illustrations: Linda Lemelin

TABLE
DES MATIÈRES

- Les mots accompagnés de ce point sont définis dans le dictionnaire à la fin de ce livre.

* Les mots accompagnés d'un, deux ou trois astérisques sont
**
*** expliqués en bas de page à la fin du texte.

PRÉFACE

Bonjour, toi !

Déjà en cinquième ! Comme tu as grandi !

Que d'expériences, que d'apprentissages passionnants tu as connus ! Et voici un livre qui, nous l'espérons, deviendra le compagnon assidu de tes heures d'étude et de loisir, à l'école et à la maison. Tu lis déjà sans aide ; tu as soif de connaître ton environnement, aussi bien que les secrets et les grandes leçons de la vie.

Nous t'offrons un peu de tout cela. C'est en fonction de ton souhait que nous avons choisi les soixante-huit textes qui composent l'ouvrage que nous te proposons. Ils t'apportent des images, des échos de tous les coins du monde, de leur histoire, de leurs coutumes. De quoi rêver, de quoi réfléchir.

Le plus amusant, c'est que tu peux commencer ta lecture par la fin ou le milieu du livre, te laisser emporter par un titre, une illustration, un poème. *Les Joies de la lecture*, c'est **ton** livre de lecture : l'important, c'est de le garder ouvert, grand ouvert, comme ton esprit à la lumière de l'univers.

Bonne lecture !

Simone et Suzanne

La belle au bois dormant

n jour que le prince était à la chasse, il perdit son chemin dans la forêt. Il avait beau regarder autour de lui, il ne reconnaissait aucun arbre, aucun sentier, aucune fleur. Quand il levait la tête, il lui semblait même qu'il n'avait jamais vu de nuages comme ceux qui avaient l'air de se poursuivre dans le ciel.

Soudain, il crut entendre quelqu'un qui l'appelait. Hou! Hou! Hou! Mais la voix était mêlée au bruit du vent. Il suivit les nuages et le vent. Il marcha longtemps, longtemps, longtemps. Bientôt la forêt fut si épaisse autour de lui qu'il dut s'arrêter. Mais il n'avait pas peur, car il entendait toujours la mystérieuse voix qui faisait une lumière dans ses yeux et une musique à son oreille.

Les suisses, minces et vifs et jaunes comme des flammes, sortaient leurs petites têtes de partout et filaient devant lui. Des écureuils gris avançaient par bonds, en traçant des demi-cercles autour du prince pour l'entraîner à leur suite. Il y avait même des lièvres, ici et là, qui couraient tout droit en lui faisant des signes avec leurs longues oreilles. Des oiseaux de toutes les couleurs sortaient des nids à son approche et se mettaient à voler en flèche au-dessus de lui.

Il y eut soudain tant de fleurs que le prince crut aussi que les fleurs avaient couru de chaque côté du sentier en se balançant sur leur tige. Puis il entendit une source qui coulait dans la même direction.

Subitement, tout s'arrêta. Les nuages, le vent, les petits suisses, les écureuils, les lièvres, et même les oiseaux et la source s'immobilisèrent. La voix mystérieuse se tut.

Alors le chasseur vit apparaître une clairière et, tout au fond, une grosse maison de pierres des champs, entourée d'un immense verger et d'un très grand jardin.

Il gravit les marches et arriva près d'une chambre sur le seuil de laquelle dormait une servante.

Toc, toc, toc!

Le prince frappa à plusieurs reprises. Comme il ne recevait pas de réponse, il ouvrit doucement la porte. C'est alors qu'il aperçut la petite fille endormie depuis cent ans.

Il se pencha et l'embrassa sur le front. L'enfant s'étira, bâilla et fut tout à coup changée en une belle jeune fille. Elle ouvrit les yeux et sourit au jeune homme.

Toute la maisonnée se réveilla en même temps qu'elle. Le seigneur fit une fête magnifique en l'honneur du fils du roi qui avait ressuscité sa fille de son trop long sommeil.

Les animaux de la forêt, les oiseaux du ciel, les nuages, le vent, la source et toutes les fleurs furent invités à célébrer le réveil de la petite fille endormie depuis cent ans.

Gabrielle POULIN
Cogne la caboche,
Éditions VLB

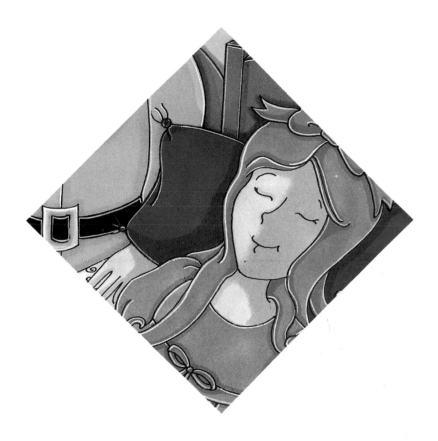

L'heure des poules

— Je parie, dit madame Lepic, qu'Honorine a encore oublié de fermer les poules.

C'est vrai. On peut s'en assurer par la fenêtre. Là-bas, tout au fond de la grande cour, le petit toit aux poules découpe, dans la nuit, le carré noir de sa porte ouverte.

— Félix, si tu allais les fermer? dit madame Lepic à l'aîné de ses trois enfants.

— Je ne suis pas ici pour m'occuper des poules, dit Félix, garçon pâle, indolent* et poltron*.

— Et toi, Ernestine?

— Oh! moi, maman, j'ai trop peur!

Grand frère Félix et sœur Ernestine lèvent à peine la tête pour répondre. Ils lisent, très intéressés, les coudes sur la table, presque front contre front.

— Que je suis bête! dit madame Lepic. Je n'y pensais plus. Poil de carotte, va fermer les poules.

Elle donne ce petit nom d'amour à son dernier-né, parce qu'il a les cheveux roux et la peau tachée. Poil de carotte, qui joue à rien sous la table, se dresse et dit avec timidité:

— Mais, maman, j'ai peur aussi, moi.

— Comment, répond madame Lepic, un grand gars comme toi? C'est pour rire? Dépêchez-vous, s'il te plaît.

— On le connaît, il est hardi comme un bouc, dit sa sœur Ernestine.

— Il ne craint rien ni personne, dit Félix, son grand frère.

Ces compliments enorgueillissent Poil de carotte et, honteux d'en être indigne, il lutte déjà contre sa couardise*. Pour l'encourager définitivement, sa mère lui promet une gifle.

— Au moins, éclairez-moi, dit-il.

Madame Lepic hausse les épaules, Félix sourit avec mépris. Seule pitoyable, Ernestine prend une bougie et accompagne son petit frère jusqu'au bout du corridor.

— Je t'attendrai, dit-elle.

Mais elle s'enfuit tout de suite, terrifiée, parce qu'un fort coup de vent fait vaciller* la lumière et l'éteint.

Poil de carotte se met à trembler dans les ténèbres. Elles sont si épaisses qu'il se croit aveugle. Parfois une rafale l'enveloppe, comme un drap glacé, pour l'emporter. Des renards, des loups même, ne soufflent-ils pas dans ses doigts, sur sa joue ? Le mieux est de se précipiter, au jugé, vers les poules, la tête en avant, afin de trouer l'ombre. Tâtonnant, il saisit le crochet de la porte. Au bruit de ses pas, les poules effarées s'agitent en gloussant sur leur perchoir. Poil de carotte leur crie :

— Taisez-vous donc, c'est moi !

Il ferme la porte et se sauve, les jambes, les bras comme ailés. Quand il rentre, haletant, fier de lui, dans la chaleur et la lumière, il lui semble qu'il échange des loques* pesantes de boue et de pluie contre un vêtement neuf et léger. Il sourit, se tient droit dans son orgueil, attend les félicitations et, maintenant hors de danger, cherche sur le visage de ses parents la trace des inquiétudes qu'ils ont eues.

Mais grand frère Félix et sœur Ernestine continuent tranquillement leur lecture, et madame Lepic lui dit de sa voix naturelle :

— Poil de carotte, tu iras les fermer tous les soirs.

Jules RENARD
Poil de carotte

Une page de biologie

Les coccinelles

es coccinelles sont très connues et sont grandement appréciées par les jeunes tout autant que par les adultes.

Les membres de cette famille ont un corps hémisphérique*, presque plat dessous et joliment décoré.

On peut en trouver trois mille quatre cents espèces dans toutes les régions de la terre. Les noms qu'elles ont reçus dans toutes les langues populaires du monde entier, comme par exemple ceux de bêtes à bon Dieu, de Catherines, donnent une indication de leur popularité.

Cette popularité est amplement justifiée, car les coccinelles et leurs larves consomment des pucerons et des cochenilles avec tant de voracité que quelques genres sont spécialement élevés et sont lâchés pour débarrasser de ces insectes nuisibles les plantes en danger. Leur grande fécondité est plus que suffisante pour un travail aussi avantageux*.

La coccinelle à sept points mesure de cinq à huit millimètres, elle a des élytres* d'un rouge vif et gai, avec sept points noirs

9

disposés symétriquement. Ses larves ont également des couleurs éclatantes. Les nymphes* de coccinelles ont une forme caractéristique et sont attachées à une feuille par leur queue.

Après leur sortie de la nymphe, les coccinelles sont d'abord vulnérables* et sans marques.

Il leur faut quelques heures pour se durcir et pour que leur coloration obtienne son éclat. La coccinelle à deux points est répandue dans toute l'Europe, l'Asie et l'Amérique du Nord. Cette espèce hiverne souvent à l'intérieur d'habitations.

V.J. STANEK
Encyclopédie illustrée des insectes
Éditions Gründ
Traduction : *Pierre Blanchard*

La chienne trop petite

ui, c'est moi qui ai fait pipi sur le tapis! Et après?

C'est moi et point un autre. Ce n'est pas la bull, ce n'est pas la colley jaune, ni la shipperke aux yeux sournois, ni la terrière farceuse, c'est moi.

Qu'est-ce que vous y pouvez? Vous êtes là, tous, à dire: Oh! autour de moi et à joindre les mains d'indignation. Et puis?

J'ai fait pipi sur le tapis. Je l'ai même fait exprès, par désœuvrement*, par bravade. Il n'y a pas une heure que je me promenais dans la rue, occupant tout le trottoir de mes jeux arrogants, et consternant, par mon effrayante petitesse, trois danois gris à colliers turquoise, veules* au bout de leurs chaînes.

Vous m'avez vue, tous. J'ai mordu le concierge, j'ai traversé la rue malgré vos cris, poursuivi un chat énorme, déchiqueté un vieux journal délicieux qui sentait le lard rance* et le poisson, et pieusement rapporté à la maison un petit os verdâtre, odorant, rare... Où l'ai-je mis? Je ne sais plus. Me voici. Je viens de faire pipi sur le tapis!

Vous ne me trouverez pas l'ombre d'une excuse. Non, je n'ai pas mal au ventre. Non, je n'ai pas lapé trop d'eau dans la tasse bleue. Non, je n'ai pas froid, ni chaud, ni la fièvre, et mon nez est plus frais qu'un grain de raisin sous la rosée d'octobre.

13

Qu'allez-vous m'infliger? J'attends!

Fourrez-moi le nez dedans, si vous le pouvez. Je n'ai pas de nez. Ou battez-moi, si vous osez. Il n'y a pas de place pour la moitié d'une claque sur tout mon corps.

Je suis trop petite, voilà, je suis trop petite. Je suis plus petite que tous les chiens, plus petite que le chat, que le perroquet dans la cage, que la tortue bombée qui raye en grinçant la mosaïque* de la terrasse. N'espérez pas que je grossirai! Deux étés ont passé déjà sur ma tête sans ajouter une once à mon poids risible.

Je suis légère dans la main comme un oiseau, mais dure et toute cordée de muscles. Une outrecuidance* d'insecte est en moi. J'ai la bravoure d'une fourmi batailleuse, sur qui le danger passe, énorme et négligeable. Je ne le vois pas, je suis trop petite. Myope, je brave un petit morceau de tous les risques, j'aboie autour d'une patte de gros chien, je me fâche contre un fragment de jambe.

Une roue de voiture m'a frôlée, mais je n'ai pas vu la voiture — je suis trop petite.

COLETTE
La Paix chez les bêtes
Éditions Arthème Fayard

L'heure des vaches

est l'heure où l'on va chercher les vaches dans les champs pour les traire.

Il y a des troupeaux à la queue leu leu sur les routes sableuses et des enfants, pieds nus, avec des bâtons et des gaules• vertes, pleines de feuilles, qui marchent derrière les vaches et qui crient :

— Qué vaches, qué…

Julien a huit ans. Il serre dans sa main la main de sa petite sœur, qui a six ans.

Les voici sur la route, comme chaque soir, chargés par leur mère d'aller chercher le courrier, au bureau de poste de la gare. Ils ont très peur tous les deux de ce défilé de bêtes ruminantes, toutes blanches ou rousses, ou tachetées de blanc et de roux, se déversant sur la route, troupeau après troupeau, dans un remuement de clochettes.

Au risque d'abîmer leurs sandales blanches, les deux enfants se sont rangés sur le bord de la route, les pieds dans le ruisseau, attendant que passent tous les troupeaux. Ils craignent particulièrement les vaches sauteuses de clôture, celles qui ont des carcans• autour du cou et qui peuvent, d'un instant à l'autre, charger comme de vrais taureaux, dans un meuglement sauvage et un nuage de poussière.

Anne HÉBERT
L'Enfant chargé de songes
Éditions du Seuil

Une visite du loup

ierre monta dans sa chambre, s'assit près de la fenêtre et, tout en ayant l'air de réciter la table de multiplication, il regardait la prairie, la forêt et l'arbre en haut duquel sifflait le merle et autour duquel tournait le chat à pattes de velours. Car le chat songeait : « Le temps que je grimpe à l'arbre et ce maudit noiraud aura dix fois le temps de s'envoler. Le jeu n'en vaut pas la chandelle* ».

Les choses en étaient là quand Pierre sentit qu'un grand silence venait de tomber sur le petit monde au milieu duquel il vivait.

Le canard cessa de coin-couiner*, le chat cessa de tourner et l'oiseau lui-même cessa de siffler.

Tous les animaux de l'herbe, les sauterelles et les cricris devinrent silencieux comme par miracle. Et Pierrot, regardant vers la lisière du bois, aperçut le loup qui se préparait à traverser la prairie.

Aussitôt, tout change. Le moment est grave. Le chat Karabi ne perd pas la tête : d'un bond, il s'élance jusqu'aux premières branches de l'arbre.

Mais le canard ? Ah ! le pauvre canard, lui, perd soudain la tête. Au lieu de gagner le milieu de l'étang et de s'y tenir en sécurité, car les loups n'aiment pas l'eau, le malheureux canard se prend à crier :

— Maman ! Maman !

Il sort de l'eau, s'efforce de courir vers la basse-cour. Le loup le rattrape d'un bond et l'avale d'un seul coup de gueule.

Georges DUHAMEL
Pierre et le Loup
Éditions du Mercure de France

* *Le jeu n'en vaut pas la chandelle* : cela n'en vaut pas la peine

Fa illustre le conte du petit chien blanc

ujourd'hui, pendant que Tense lui raconte une histoire, Fa innove*. Elle se met à dessiner les personnages du conte avec des crayons feutre. De temps à autre, elle lève la tête et dit :

— Attends, attends, Tense, tu vas trop vite ! Qu'est-ce qu'il dit, le maître, à son petit chien blanc après l'accident ?

— Il dit :

— *J'ai payé pour avoir un chien blanc : blanc de la tête à la queue. Or voilà que ta queue est devenue toute rouge. Tu es hideux, ridicule, misérable. Je suis très mécontent, je ne veux plus de toi.*

Et le professeur Tournedisque lui montre du doigt la grande horloge qui trône au bout du couloir.

— *Tu as une heure pour retrouver ta queue blanche, sinon, je te flanque à la rue.*

Le petit chien se précipite à la cave. Il déniche un grand pot de teinture bleue. Il verse le contenu dans un bac et s'y plonge tout entier en fermant les yeux. Le voilà devenu aussi bleu que le ciel de Provence, sauf la queue qui a viré au violet. Il secoue sa toison, peigne soigneusement ses moustaches et court se présenter à son maître.*

L'enfant, tout à coup, se rend compte que l'histoire est interrompue.

— Tu ne racontes plus ? Tu es fatiguée, Tense ?

— Non, j'admire ton dessin. C'est très réussi.

Fa est contente. Elle repose ses crayons.

— Tu sais, papa organise un concours de dessins d'enfants à son journal. Je pense que je vais participer. Tu crois que mon petit chien a une chance de gagner ?

Monique de GRAMONT
La Clé de Fa
Éditions Québec-Amérique

Première neige

la sortie de la messe, quelques flocons de neige voltigèrent, se posant délicatement, comme avec d'infinies précautions, sur la terre.

— Le temps est blanc. Va-t-il neiger, quoi ?
— Il neigeotte.
— Il neige, dit joyeusement Phonsine.

Les hommes se sourirent. Neiger signifiait pour eux une forte bordée, un épais revêtement collé aux maisons, un pont solide sur les chemins d'hiver entre les balises, une eau lourde qui soude les rives. Mais non ces plumes folles…

Phonsine tendit la main à l'air pour capturer un flocon ou deux. Seules des gouttelettes tremblèrent à la chaleur de la peau.

Peu de temps après, au jour laiteux éclairant la pièce, Venant comprit, à son réveil, que la métamorphose attendue arrivait enfin. Il sauta hors du lit. Sous le ciel bas, la neige abolissait* les reliefs : elle unifiait toute la campagne dans une blanche immobilité. Il neigeait à plein temps. Ce n'étaient plus les plumes folles du dimanche précédent. La neige tombait fine, tombait drue, tombait abondante, pour régaler la terre.

Vers midi le soleil se montra, pâle parmi de pâles nuages : et cependant il alluma des myriades* d'étoiles dans les champs.

Didace dit :
— La neige restera.

Et la neige resta.

Germaine GUÈVREMONT
Le Survenant
Éditions Plon

Nina pense à son avenir

avais dix ans quand m'est venue l'idée bizarre qu'il me fallait au plus vite choisir une profession.

C'est ainsi que j'ai noté sur une feuille de papier une longue liste des métiers possibles, sans <u>prendre en considération</u>* que j'étais une fille et que les professions de pompier ou de postier auraient dû normalement être exclues. Parmi une quarantaine de métiers figurait aussi celui de poète que j'avais placé entre ceux de pompier et de postier. Je ne respectais pas, en effet, un ordre alphabétique rigoureux.

Je me souviens très bien de cet été-là. J'avais décidé d'essayer chaque métier à tour de rôle, sans perdre de temps. Je me suis d'abord demandé si je ne pourrais pas être acrobate.

Pendant plusieurs jours, j'ai fait des exercices de gymnastique, mais j'en eus vite assez. Puis, je me suis tournée vers les sciences naturelles. Je remplis un bocal avec de l'eau tirée de l'étang et, des heures durant, j'observais les infusoires*. Mais cela finit aussi par m'ennuyer.

J'avais entendu dire que certaines personnes s'occupaient à recueillir les chansons populaires. Je pris un carnet et un crayon et sortis, un soir, à l'heure de la traite des vaches. Les jeunes paysannes chantaient la ritournelle : « Aujourd'hui et demain, y'a les pois, y'a les pois ; trais tes vaches, ô ma belle, dépêche-toi, rejoins-moi ». Ce n'était pas difficile à noter, car elles la répétaient plus de deux cents fois avant de finir de traire les vaches et il y en avait beaucoup.

Mon grand-père vivait alors principalement de la vente du beurre et du fromage hollandais fabriqués dans une isba* qu'on appelait l'usine. Mais le folklore non plus ne me satisfaisait pas. Alors j'ai été assombrie comme par un gros nuage noir.

Je traînais des journées entières dans la maison, au jardin, dans la cour. Je suis tombée dans les orties*, j'ai été mordue par une oie, j'ai sangloté au grenier, cachée sous les crinolines*, mais j'étais toujours sans profession. C'est dans cet état de détresse que je suis tombée sur la Prière de Lermontov* que j'ai recopiée et signée. Elle me consola, car j'eus l'impression de l'avoir écrite moi-même.

Nina BERBEROVA
C'est moi qui souligne
Éditions Actes Sud
Traduction : *Anne et René Misslin*

* *prendre en considération* : s'occuper de quelque chose

32

Rajiv et Irina

Fanny Kowaleska a deux petits camarades : Rajiv Mukerjee est originaire de l'Inde, il est donc Indien ; Irina est Polonaise, donc elle est née en Pologne. Fanny compare certaines de leurs activités aux siennes.

e leur dis que je m'appelle Fanny. Chez les Mukerjee, ils font sécher des feuilles de laitue dans la cave. Dans la cave des Kowaleski — on dit Kowaleska pour les filles et Kowaleski pour les garçons et la famille — ils font tremper des champignons dans d'immenses barriques en bois. Dans notre cave, on élève des souris. Disons que c'est moi qui les élève, ma mère n'aime pas les souris.

J'avais repéré un trou de souris, alors j'ai mis des petits morceaux de fromage. Mon père a bouché le trou un jour et je l'ai débouché.

Un matin, il n'y avait plus de fromage. J'en ai remis et je me suis cachée derrière un sac de pommes de terre, toute la journée. Une maman souris est sortie avec ses petits. J'ai refermé le trou, ils ont eu peur, moi aussi, et ils se sont cachés dans le sac de pommes de terre. Toute la famille dans les patates.

À force d'être nourries, les souris ont grandi et la maman a eu d'autres petits qui étaient à la fois ses enfants et ses petits-enfants.

Maintenant, je peux les prendre dans mes mains et les caresser. Rajiv a été mordu par la maman souris et il a inventé une histoire parce que ça saignait au bout de son doigt. Les Mukerjee l'ont amené à l'hôpital à cause de la rage. Moi, elles m'ont déjà mordue et je ne suis pas enragée.

Je suis contente d'avoir une famille dans un sac de pommes de terre.

Rajiv a cinq ans. Il a la peau d'un Indien. D'ailleurs, c'est un Indien, pas un Peau-Rouge*. Je m'en doute parce que sa peau à lui est brune. Il apprendra le sanskrit* quand il sera grand. En attendant, je lui apprends à lire dans le Livre*.

Hélène LE BEAU
La Chute du corps
Éditions du Boréal

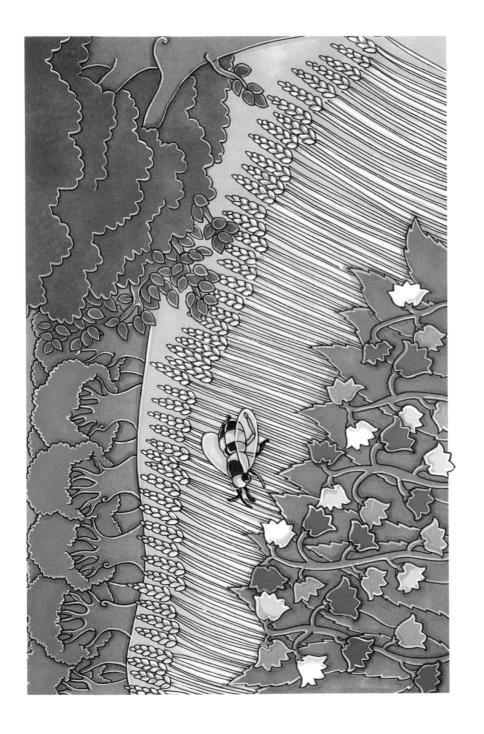

La voix du vent

a grande voix du vent
Toute une voix confuse au loin
Puis qui grandit en s'approchant, devient
Cette voix-ci, cette voix-là
De cet arbre et de cet autre
Et continue et redevient
Une grande voix confuse au loin

Hector de SAINT-DENYS GARNEAU
Poésies

Le vilain* et le diablotin

 es diables possédaient jadis une île déserte dans laquelle ils venaient prendre leurs ébats quand ils avaient quelques jours de congé. Il advint qu'un pauvre laboureur, poussé par la misère, osa y semer du blé. Un diablotin qui n'avait pas encore de barbe au menton l'aperçut.

— Hé! l'homme, lui cria-t-il, ce champ n'est pas à toi; il m'appartient et je m'en vais te faire déguerpir au plus vite, attends un peu!

— Soyez bon diable, implora le cultivateur, ma famille meurt de faim et je ne possède pas une motte de terre. Laissez-moi semer ce blé pour m'aider à vivre l'an prochain.

— Taratata! Je n'y consentirai qu'à une condition: je te laisserai mon champ, mais nous partagerons la récolte; je ne serais pas fâché d'avoir un peu d'argent de poche.

— Tope là!

— Nous ferons deux lots: dans l'un, ce qui sortira de terre; dans l'autre, ce qui restera sous terre. Le choix m'appartient car tu n'es qu'un vilain, et je choisis ce qui sera sous terre. À quand la récolte?

— À la mi-juillet.

— Bien, je m'y trouverai. En attendant fais ce qu'il faut faire: travaille, vilain, travaille!

Le cultivateur laboura, sema, hersa. Le blé vint, les épis se formèrent; ils jaunirent et la mi-juillet arriva. Le diablotin reparut.

— Allons, vilain, dit-il, moissonne. Il est temps de faire le partage dont nous sommes convenus.

Le cultivateur prit sa faux sans mot dire et se mit à l'œuvre. Ses deux fils se joignirent à lui : pendant qu'il abattait les épis lourds de grains, ils les liaient en gerbes. Derrière eux trottait le diablotin, aidé d'un escadron de diableteaux qu'il avait appelés pour la circonstance ; dès qu'un épi avait été fauché, ils se hâtaient d'arracher ce qui en restait. La troupe infernale fit ainsi un grand tas de chaume*.

La moisson finie, le cultivateur enleva ses gerbes, les fit passer sous le fléau*, mit son blé en sacs et le porta au marché. Le diablotin y porta de même ses bottes de chaume : mais tandis que le cultivateur vendait sans peine sa part de récolte, le diablotin ne put tirer un sou de la sienne.

Le diablotin alla trouver le cultivateur et lui dit :

— Vilain, tu m'as trompé cette fois, mais tu ne me tromperas plus.

— Comment l'aurais-je fait ? s'écria le cultivateur. N'est-ce pas plutôt vous, monsieur le Diable, qui pensiez me tromper ? Vous ne saviez probablement pas que des épis devaient sortir de terre et vous comptiez bien retrouver mon grain où il était tombé.

— Laissons cela et écoute-moi : je retiens pour ma part de l'année prochaine le dessus de la terre ; toi, tu auras le dessous.

— Oui, monsieur le Diable ; si cela vous est égal, je compte semer des raves.

— Sème ce que tu voudras : en quoi cela peut-il m'intéresser ? Fais ce qu'il faut faire et travaille, vilain, travaille !

Le cultivateur n'épargna pas plus ses peines que l'an d'avant, et quand le diablotin revint avec ses diableteaux, le champ de raves était magnifique. Tout joyeux, ils se répandirent çà et là pour couper les feuilles et les mettre en bottes. À quelques pas en arrière, le cultivateur et ses fils arrachaient les raves.

Le marché se tint le mois suivant ; quand le diablotin présenta ses feuilles sèches, qui n'étaient plus bonnes même à faire la litière*, personne n'en voulut, et tout le monde se moqua de lui.

On ne le revit plus jamais et le cultivateur resta maître du champ.

D'après François RABELAIS
Pantagruel

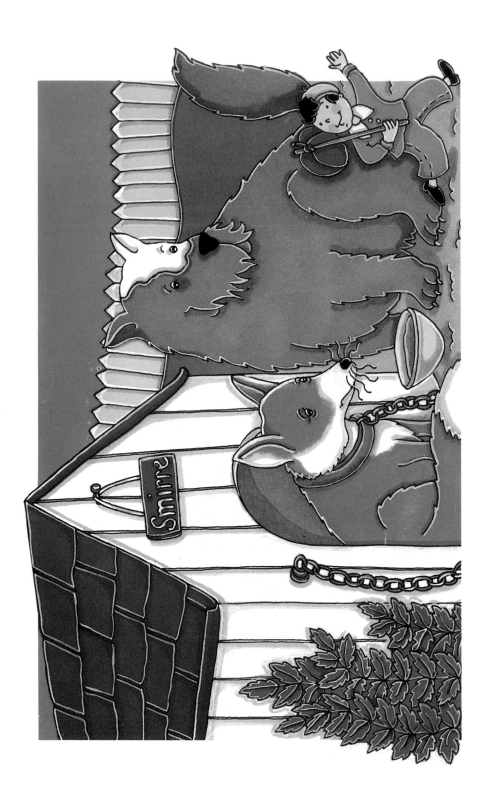

Un bon chien de garde

Le nain Nils est poursuivi par un très rusé renard. Aussi doit-il se montrer encore plus rusé que lui pour sauver sa peau ; un chien, Smirre, devient son complice et son sauveur.

ls atteignirent ainsi les cabanes et entrèrent ensemble dans l'une d'elles. Nils avait pensé se faufiler sur leurs pas, mais arrivé sur le perron, il aperçut un grand et fort chien de garde à longs poils qui se précipitait devant son maître. Cela le fit changer d'idée.

— Écoute, chien de garde, fit-il à voix basse, dès que les hommes eurent fermé la porte. Veux-tu m'aider à attraper un renard ?

Le chien de garde avait la vue faible ; il était devenu hargneux et méchant à force de demeurer attaché. Il répondit par un aboiement furieux :
— Attraper un renard ? Qui es-tu, toi qui viens me bafouer ? Approche un peu plus près et je t'apprendrai à te moquer de moi.
— Je n'ai pas peur de venir près de toi, répondit Nils en accourant.

Le chien, en l'apercevant, fut si stupéfait qu'il ne trouva pas un mot à dire.

— C'est moi qu'on appelle Poucet et qui accompagne les oies sauvages. N'as-tu pas entendu parler de moi?

— Je crois en effet que les pierrots* ont gazouillé quelque chose sur toi, dit le chien. Il paraît que tu as fait de grandes choses.

— J'ai vraiment eu beaucoup de chance jusqu'ici, répondit le gamin. Mais cette fois, je suis mort si tu ne me sauves. Un renard me poursuit. Il s'est caché derrière le coin de la maison.

— En vérité, je le flaire, répondit le chien. Mais tu en seras vite débarrassé.

Le chien s'élança en aboyant, aussi loin que le lui permettait sa chaîne.

— Il ne se montrera plus de la nuit, dit-il, content de lui-même, en revenant près de Nils.

— Il faut autre chose qu'un aboiement pour chasser ce renard-là, dit Nils. Il va revenir, et je me suis promis que tu le feras prisonnier.

— Tu te moques de moi, fit le chien.

— Viens dans ta niche et je te raconterai mon projet.

Le gamin et le chien entrèrent dans la niche. Un moment se passa, pendant lequel on put les entendre chuchoter ensemble.

Quelques minutes plus tard le renard avança de nouveau le museau derrière le coin de la maison; comme tout était calme, il se glissa dans la cour. Il flaira le gamin jusqu'auprès de la niche, s'assit sur son derrière à une distance prudente, et commença à réfléchir au moyen de faire sortir Nils. Soudain le chien avança la tête et grogna:

— Va-t'en! Sinon je te mords.

— Je resterai ici tant que je voudrai. Ce n'est pas toi qui me feras déguerpir, répondit le renard.

— Va-t'en, grogna le chien encore une fois. Sinon tu auras chassé cette nuit pour la dernière fois.

Mais le renard ne fit que ricaner et ne bougea pas.

— Je sais très bien jusqu'où va ta chaîne, dit-il.

— Je t'ai averti trois fois, hurla le chien en sortant de sa niche. Maintenant tant pis pour toi !

Sur ces mots, il fit un bond et atteignit le renard sans difficulté, car il était libre. Le gamin avait défait sa chaîne.

Il y eut quelques instants de lutte, mais la victoire resta au chien ; le renard gisait par terre, n'osant bouger.

— Tiens-toi bien tranquille, grogna le chien, sinon je mords.

Il saisit le renard par la peau du cou, le traîna vers sa niche. Le gamin vint au-devant d'eux avec la chaîne, la mit au cou du renard, la boucla* bien. Le renard n'osa bouger.

— Maintenant j'espère, Smirre, que tu feras un bon chien de garde, dit Nils en guise d'adieu.

Selma LAGERLÖF
Le merveilleux voyage de Nils Holgersson

Les adieux de Mowgli

Mowgli, un petit d'homme, a été trouvé et élevé par une famille de loups. Mais aujourd'hui, le Conseil de la jungle a décidé que Mowgli doit retourner chez les humains.

agheera chargea donc Lak, le corbeau, d'aller prévenir père Loup et mère Louve qu'elle viendrait chercher Mowgli lorsque la chaleur du jour serait tombée. Puis elle se coucha sur les basses branches d'un arbre et, tandis que le soleil traversait lentement le ciel, elle dormit d'un sommeil agité.

Enfin, quand de fraîches ombres commencèrent à s'allonger sur le sol de la jungle, elle sauta de l'arbre et se dirigea vers le rocher du Conseil. Elle estimait que son départ avec Mowgli ne pouvait plus être retardé.

Mais elle avait compté sans les loups… et sans le petit d'homme ! Mowgli ne pouvait tout de même pas partir sans avoir embrassé ses frères ! Et lorsqu'il les eut embrassés, il recommença, pour être bien certain de ne pas faire de jaloux. Ensuite, naturellement, il prit congé de chaque membre du clan. Akela, le vieux chef, vint lui dire adieu.

Cette cérémonie prit un temps considérable et, même quand elle fut terminée, Mowgli déclara qu'il n'était pas encore prêt. Il n'en avait pas fini avec père Loup et mère Louve. Le premier avait tant de chagrin qu'aucun son ne réussissait à sortir de sa gorge.

Mère Louve se souvenait brusquement des nombreux conseils qu'elle s'était promis de donner au petit d'homme avant leur séparation.

Bagheera bougonnait sans cesse :
— Vous ne voyez donc pas qu'il se fait tard ? Le soleil est presque couché !

Mowgli sauta au cou de la louve et enfouit son visage dans la rude fourrure de sa mère adoptive.
— Je ne veux pas partir ! sanglota-t-il.
— Il le faut, Mowgli, dit mère Louve. Le clan s'est prononcé. Cette solution est d'ailleurs la seule possible.

Bagheera soupira de soulagement.

Quelle satisfaction d'entendre mère Louve reconnaître la sagesse de la décision prise par le clan ! En somme, les difficultés semblaient sur le point de s'aplanir.

Mais Mowgli se cramponnait* toujours à sa mère Louve. Elle lui parlait à mi-voix, très tendrement, à la façon d'une mère qui veut consoler son enfant.

Ce fut Akela qui mit un terme à cette scène. Il s'approcha de mère Louve et du petit d'homme. Il ne prononça pas un mot. Il se contenta de regarder mère Louve fixement, puis il contraignit* Mowgli à la lâcher et à s'éloigner de quelques pas.

Maintenant, tout était fini. Mowgli ne pouvait plus en douter. Il rejoignit Bagheera. Côte à côte, ils commencèrent à descendre la colline, vers la lisière de la forêt. Mowgli ne se retourna qu'une seule fois. Sur le rocher du Conseil, les loups étaient restés immobiles. Cependant, mère Louve n'avait pu s'empêcher de suivre les deux voyageurs. Mais quand elle vit que Mowgli la regardait, elle s'arrêta et s'assit.

— Allons, viens, petit d'homme, ordonna Bagheera. Ne traîne pas. Il va bientôt faire nuit.

D'après Rudyard KIPLING
Le Livre de la jungle

Un garçon manqué

lors que la santé de Jean le transformait en petit homme, la mienne, par une maléfique* alchimie*, me changeait en garçon manqué.

Je me creusais les méninges : pourquoi Jean était-il réussi et moi pas, alors que nous faisions tout ensemble, et moi souvent mieux que lui ? Lequel pouvait rester sous l'eau le plus longtemps ? Lequel grimpait le plus vite en haut des arbres ? Moi.

Pourquoi étais-je manquée puisque j'étais la plus brave ?

Exemple : mon saut en parachute depuis la plus haute poutre* d'une grange. Jean, finouche*, éclaireur, éclairé, avait trouvé un énorme parapluie de carriole qui devait me permettre, m'avait-il expliqué, de sauter du pignon en flottant comme une plume. Je n'avais qu'à m'envoler.

— Pourquoi moi ?

— Parce que j'ai fait la découverte ; toi, tu essaies.

La poutre surplombait un abîme, mais sa confiance me donnait des ailes et je pris mon envol.

Le parapluie m'emporta comme une pierre. J'étais assommée, avec un orteil écrasé.

Déchue ? Jean m'avait félicitée de ma bravoure et avait promis de toujours m'associer à ses projets. Il m'accordait le privilège d'être mon chef. Sa confiance témoignait de ma valeur : jamais il n'aurait élu un être manqué.

Michèle MAILHOT
Béatrice vue d'en bas
Éditions du Boréal

Chez mes grands-parents

e matin, quand je me levais, il y avait sur ma table de nuit un cadeau que grand-papa avait déposé sans bruit pendant mon sommeil : des sucettes, une tablette de chocolat, des fruits confits. Grand-maman m'avait demandé, une fois pour toutes, de n'y pas toucher avant le petit déjeuner, pour lui faire plaisir. Quoiqu'il m'en coûtât, je lui obéissais parce que ce motif d'obéir me laissait toujours émerveillée.

Quand je fus assez grande pour connaître les couleurs, grand-maman me permit d'ouvrir la boîte au trésor. Je veux dire la boîte aux boutons. Comme toutes les femmes de son espèce, elle savait qu'un beau vêtement mérite de beaux boutons. Plusieurs de ceux qu'elle possédait avaient été achetés à Paris — ah! les petites boutiques de boutons, à Paris! Comme elles me font penser à toi, chère! — et ils étaient irremplaçables. Aussi faisaient-ils boîte à part et n'avais-je le droit que de les regarder sans y toucher. Nacre, corne, cristal, ivoire, j'apprenais que seules les matières authentiques• sont valables et qu'un bouton de vraie nacre vaut mieux qu'un bouton <u>façon or</u>*. Plus facilement, j'apprenais à compter et nommer les couleurs.

— Trouve-moi huit petits boutons de la grandeur d'une pièce de cinq sous...

Car les pièces de cinq sous étaient toutes petites à cette époque. Si je me le rappelle, c'est que grand-papa en remplissait ma tirelire.

Ma tirelire, je la laissais chez mes grands-parents quand je retournais chez mon père. Elle m'attendait sur la table de toilette de ma chambre, comme m'attendaient dans le placard mes poupées, mon jeu de cubes, mes livres d'images.

Claire MARTIN
Dans un gant de fer
Éditions du Cercle du livre de France

* *façon or* : plaqué or

Le chat et la souris

La Souris grise a fait un plan pour sauver son ami Colin du désespoir et tente naïvement d'obtenir l'aide du Chat pour le réaliser... Mais le chat, lui, fait un autre plan... tu devines?

a souris grise à moustaches noires fit un dernier effort et réussit à passer. Elle déboula en toute hâte à travers le couloir obscur de l'entrée dont les murs se rapprochaient l'un de l'autre en flageolant• et parvint à filer sous la porte. Elle atteignit l'escalier, le descendit ; sur le trottoir, elle s'arrêta. Elle hésita un instant, s'orienta, et se mit en route dans la direction du cimetière.

— Vraiment, dit le chat, ça ne m'intéresse pas énormément.

— Tu as tort, dit la souris. Je suis encore jeune, et jusqu'au dernier moment, j'étais bien nourrie.

— Mais je suis bien nourri aussi, dit le chat, et je n'ai pas du tout envie de me suicider, alors tu vois pourquoi je trouve ça anormal.

— C'est que tu ne l'as pas vu, dit la souris.

— Qu'est-ce qu'il fait? demanda le chat.

Il n'avait pas très envie de le savoir. Il faisait chaud et ses poils étaient tous bien élastiques.

— Il est au bord de l'eau, dit la souris, il attend, et quand c'est l'heure, il va sur la planche et s'arrête au milieu. Il voit quelque chose.

— Il ne peut pas voir grand-chose, dit le chat. Un nénuphar, peut-être.

— Oui, dit la souris, il attend qu'il remonte pour le tuer.

— C'est idiot, dit le chat. Ça ne présente aucun intérêt.

— Quand l'heure est passée, continua la souris, il revient sur le bord et il regarde la photo.

— Il ne mange jamais? demanda le chat.

— Non, dit la souris, et il devient très faible, et je ne peux supporter ça. Un de ces jours, il va faire un faux pas en allant sur cette grande planche.

— Qu'est-ce que ça peut te faire? demanda le chat. Il est malheureux, alors?

— Il n'est pas malheureux, dit la souris, il a de la peine. C'est ça que je ne peux supporter. Et puis il va tomber dans l'eau, il se penche trop.

— Alors, dit le chat, si c'est comme ça, je veux bien te rendre ce service, mais je ne sais pas pourquoi je dis « si c'est comme ça », parce que je ne comprends pas du tout.

— Tu es bien bon, dit la souris.

— Mets ta tête dans ma gueule, dit le chat, et attends.

— Ça peut durer longtemps? demanda la souris.

— Le temps que quelqu'un me marche sur la queue, dit le chat; il me faut un réflexe rapide. Mais je la laisserai dépasser, n'aie pas peur.

La souris écarta les mâchoires du chat et fourra sa tête entre les dents aiguës. Elle la retira presque aussitôt.

— Dis donc, dit-elle, tu as mangé du requin, ce matin?

— Écoute, dit le chat, si ça ne te plaît pas, tu peux t'en aller. Moi, ce truc-là, ça m'assomme*. Tu te débrouilleras toute seule.

Il paraissait fâché.

— Ne te vexe* pas, dit la souris.

Elle ferma ses petits yeux noirs et replaça sa tête en position. Le chat laissa reposer avec précaution ses canines acérées sur le cou doux et gris. Les moustaches noires de la souris se mêlaient aux siennes. Il déroula sa queue touffue et la laissa traîner sur le trottoir.

Boris VIAN
L'Écume des jours
Éditions Jean-Jacques Pauvert

Une page de géographie

Le Gulf Stream[•]

— Étudier, toujours étudier, murmure-t-elle.

Maman rit :

— Tu feras la plus ignorante petite fille de Terre-Neuve[•] si nous te laissons faire à ta guise.

— Les autres n'étudient pas, riposte-t-elle avec humeur.

— Anne...

— Oh ! Anne marche vers la perfection, interrompt la fillette. Mais les enfants d'Odérin n'ont plus de leçons ni de devoirs. Seulement nous.

— Et c'est dommage pour eux. Ton père et moi, nous nous efforçons de vous servir de professeurs pour que vous ne soyez pas en retard dans vos études.

D'une main nonchalante, Marie-Lou feuillette un manuel.

— Il faut, dit-elle, que je trouve un golfe dans ma géographie, un golfe dont le nom finit par îme.

— Je vais t'aider.

Toutes deux se penchent sur la carte de Terre-Neuve.

La grande île au large de l'Amérique n'est que fjords* et promontoires. De chaque côté de la péninsule d'Avalon, la région la plus peuplée, Marie-Lou reconnaît la baie de Placentia où se trouve Odérin et celle de Trinité. Il s'en faut de peu — cinq kilomètres à peine — que la péninsule ne soit coupée du reste de Terre-Neuve; mais du golfe en îme, nulle trace. Et l'on change de page.

Soudain, le doigt de maman s'immobilise et en pleine mer, encore! La voix soudain moqueuse, elle demande:

— Ce ne serait pas le Gulf Stream, par hasard?

— Comment un courant d'eau peut-il exister dans l'océan?

— Comme le vent dans l'air, rétorque maman.

C'est mystérieux, ces rivières sous-marines qui se promènent sous les barques.

Le Gulf Stream monte du Mexique* et rencontre le courant froid du Labrador*. Là, sur les plateaux sous-marins, en eau peu profonde, foisonne le plancton* qui attire les petits poissons que les morues dévorent à leur tour. Marie-Lou se retrouve en terrain familier. Les grands bancs sont un peu la cour et le jardin de Terre-neuve. Toute l'économie du pays est centrée sur eux. Ils attirent en outre des marins de partout, Français, Basques, Portugais, Anglais.

— Comme c'est intéressant, la géographie! s'exclame Marie-Lou.

« Et comme tu en as à apprendre! » complète silencieusement la mère.

Monique CORRIVEAU
Les Saisons de la mer
Éditions Fides

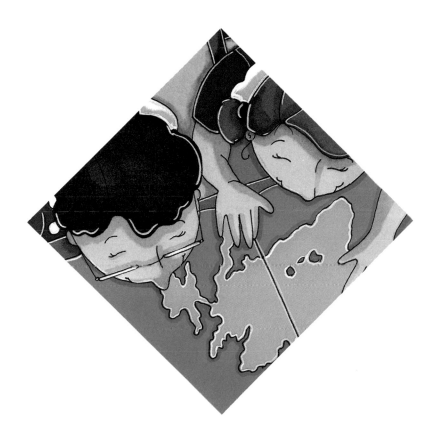

Le faon

outé cette année-là, elle était sortie derrière la maison, portant à la main du pain, du grain ou des restes de céréales, et le faon était venu à son appel.

Elle avait aperçu le faon alors qu'il venait de naître à peine, pattes malhabiles, farouche et pourtant attiré. Elle s'était attardée, ce premier matin, à rechercher la mère, mais n'avait vu d'autres pistes que celle du petit, menant vers un bosquet touffu.

Il était tombé une neige recouvrant tout, et jamais elle ne sut ce qui avait pu arriver.

Grâce à un biberon de lait tiède et sucré offert deux fois le jour, le faon avait survécu, sans qu'elle pût le convaincre d'entrer à l'abri, dans les bâtiments ou dans la maison. Il y eut des nuits glaciales, des vents à ébranler les chênes et des verglas qui endiamantaient les moindres branchailles. Le faon ne chercha d'autres secours que la pâtée quotidienne. Il gambada, montra sa reconnaissance ou son plaisir, mais toujours finit par s'enfuir, repu*, sans accepter plus de servitude.

Il en fut ainsi des jours, et des semaines, et des mois. La bête croissait, devenait chevreuil agile.

Vint finalement le printemps, la fin des climats périlleux, et elle vit bien que la bête était sauve. Et toujours, chaque matin, dans la moiteur de la rosée, l'approche prudente des sabots du jeune chevreuil.

Il s'approchait, regardait la femme et venait avaler le blé en trois grands coups de langue, jetait un dernier regard à son amie et fuyait en bondissant.

C'était frustrant pour elle, et pourtant il y avait en elle une confiance que la bête, un jour, accepterait l'amour offert. Il y avait tant de bêtes qu'elle avait attirées. Une renarde lui avait apporté ses petits avec fierté, le raton-laveur se blottissait dans ses bras, une belette en était venue à manger dans ses doigts, un corbeau se perchait sur son épaule et lui picorait les cheveux, une poule d'eau venait jusque dans la cuisine, marchant à gestes importants et fiers, la mouffette dormait près de la porte.

Toutes ces bêtes n'étaient que lentement et graduellement* venues à la femme. Il avait fallu une amoureuse patience pour attendre leur bon plaisir; elle pouvait donc espérer vaincre la réticence* de ce chevreuil.

À toute heure du jour, et même à travers les rêves de la nuit, l'animal habitait les pensées de la femme qui ne vivait plus que pour le court instant matinal où le chevreuil apparaissait dans la sente, s'avançait vers elle avec une assurance croissant de jour en jour.

Et puis, un midi d'octobre, par un jour merveilleusement radieux, la femme entendit, bien proche dans le bois entourant la maison, la détonation* d'une carabine de gros calibre, puis le silence.

Puis la fin. De tout.

Yves THÉRIAULT
La Femme Anna et autres contes
Éditions VLB

Une page de biologie

La migration

éménager temporairement… aller plus au sud, là où il fait plus chaud, là où la nourriture est plus abondante.

Si c'est possible, pourquoi pas ?

Chaque année, quand l'automne commence à frissonner, des millions d'oiseaux entreprennent un long voyage, pour ne revenir qu'au printemps.

Mais quelle aventure !

Car il faut voler parfois des jours entiers sans s'arrêter, continuer son chemin dans la nuit noire ou sans points de repère au-dessus des océans. Voyager dans le vent et la pluie, sans s'épuiser complètement. Étonnantes petites boules de chair et de plumes, qui savent d'instinct jusqu'où aller !

Et que dire de certains papillons, capables de migrer presque à l'autre bout du monde ?

Dans la mer aussi, se vivent de grands voyages, quand poissons et baleines nagent vers des eaux plus chaudes.

Migration du printemps, mystérieux talent chez tous ces animaux qui reprennent à rebours* la même route.

L'oiseau revient au nid qui l'a vu naître. Bonjour l'hirondelle ! Tu nous arrives de loin.

Diane TURCOTTE
La Boule de neige
Éditions Paulines et Arnaud

Les trois oiseaux de boue

n ce temps-là, le lac de Tibériade• ne portait pas ce nom. Ce ne fut que quelque temps après ce que je vais vous raconter que le fils du cruel Hérode• édifia sur ses bords la cité qu'il baptisa Tibériade, pour faire sa cour* à l'empereur Tibère.

Ce jour-là, un gros orage venait d'éclater sur la montagne. Avec la fin du jour, le vent emportait les dernières nuées, le lac avait repris son calme, et les nombreux oiseaux qui le hantent, cormorans, pélicans, mouettes, alcyons, martins-pêcheurs, avaient recommencé de plus belle leurs vols et leurs cris.

Dans le village de Nazareth•, trois enfants pataugeaient dans la boue du chemin, fort occupés à dresser un barrage pour retenir l'eau des ornières. Puis, ayant façonné un lac, ils se mirent dans la tête de le peupler, lui aussi, d'oiseaux — d'oiseaux de boue, s'entend**.

L'un fit quelque chose d'informe qui avait, je crois, la prétention de ressembler à ces beaux cormorans qui ont de grandes ailes pour accourir de loin et donner la chasse aux poissons. L'autre prenait beaucoup de mal pour transformer sa boue en pélican et maintenir en équilibre l'énorme tête et la besace• suspendue à son cou. Le troisième pétrissait de ses petites mains une mouette posée sur la rive.

Cependant, la nuit était venue.

Tout à coup, d'une maison, on entendit une voix qui criait :

— Luc !

Luc qui, pour la dixième fois, essayait de faire tenir, sur le bâton qui lui servait de cou, le bec de son cormoran, était trop pris par sa besogne pour répondre à l'appel.

— Luc, Luc ! répéta la voix.

Luc ne bougea pas davantage. Il fallut qu'une fois encore sa mère le rappelât. Et cette fois enfin, de fort mauvaise humeur, il se décida à quitter son pauvre cormoran de boue.

— Marc ! cria bientôt après une autre voix dans le crépuscule.

Or, juste à ce moment, le pélican de Marc venait de s'effondrer à son tour.

— J'arrive, j'arrive, répondit-il.

Mais il ne bougea pas, tâchant de réparer hâtivement la catastrophe.

— Marc, Marc ! reprit la voix impatiente et devenue presque revêche.

Et lui aussi, il fallut que sa mère l'appelât une troisième fois. Et cette fois, Marc obéit, non sans avoir, dans sa colère, envoyé d'un coup de pied son chef-d'œuvre dans l'eau.

Il n'y avait plus au bord de la petite mare éclairée par la lune que le troisième enfant, qui lissait sa mouette d'argile.

— Jésus ! appela une femme sur le seuil de sa porte.

La voix très douce emplit la nuit comme aurait fait un parfum.

Aussitôt l'enfant se leva, laissant là sa mouette de boue.

Et la mouette s'envola.

Jean et Jérôme THARAUD
Les Contes de la Vierge
Éditions Plon

* *faire sa cour* : faire plaisir en flattant sa vanité
** *s'entend* : bien entendu

Le « némeraude »•

e l'autre côté de la baie, tout au bord de l'eau, deux petits garçons aux culottes retroussées s'agitaient comme des araignées. L'un creusait le sable, l'autre trottinait, entrant dans l'eau, puis en sortant pour remplir un petit seau.

C'étaient les petits Trout, Pip et Rags. Mais Pip était si occupé à creuser et Rags si occupé à l'aider qu'ils ne virent leurs cousines qu'au moment où elles arrivèrent tout près.

— Regardez! dit Pip. Regardez ce que j'ai découvert!

Et il leur montra une vieille bottine imbibée d'eau et aplatie. Les trois fillettes ouvrirent de grands yeux.

— Qu'est-ce que tu vas bien en faire? demanda Kézia.
— La garder, bien sûr! fit Lottie.

Pip prit un air dédaigneux.

— C'est une trouvaille… tu vois?

Oui, Kézia voyait. Tout de même…

— Il y a des masses de choses enterrées dans le sable, expliqua Pip. On les flanque• à la mer dans les naufrages. C'est du butin•. Quoi? On pourrait trouver…

— Mais pourquoi faut-il que Rags verse tout le temps de l'eau dessus? demanda Lottie.

— Oh! c'est pour mouiller le sable, dit Pip, pour rendre le travail un peu plus facile. Va toujours, Rags.

Et le bon petit Rags continua à courir, à verser dans le trou l'eau qui devenait brune comme du chocolat.

— Tenez, voulez-vous que je vous montre ce que j'ai trouvé hier? dit Pip, mystérieusement.

Et il planta sa bêche dans le sable.

— Promettez de ne rien dire.

Elles promirent.

— Dites : croix de fer, croix de bois.

Les petites filles le dirent.

Pip tira quelque chose de sa poche, le frotta longtemps sur le devant de son jersey*, puis souffla dessus, puis frotta encore.

— À présent, tournez-vous, commanda-t-il.

Elles se retournèrent.

— Regardez toutes du même côté. Bougez pas! À présent!

Et sa main s'ouvrit ; il éleva dans la lumière quelque chose qui lançait des éclairs, qui scintillait, qui était du vert le plus ravissant.

— C'est un némeraude, dit Pip avec solennité.

— Bien vrai, Pip?

Même Isabelle était impressionnée.

La belle chose verte semblait danser dans les doigts de Pip. Tante Béryl avait un némeraude dans une bague, mais il était tout petit. Ce némeraude-là était aussi gros qu'une étoile et bien, bien plus beau.

Katherine MANSFIELD
La Garden party

82

Vive les vacances!

 école est finie. Nous sommes en plein juillet et août.

La maîtresse dont c'était la dernière année d'enseignement a distribué des chapelets et des contes de fées, puis a dit que ceux qui voulaient partir le pouvaient.

Tout était enfin fini: le toit en accent circonflexe de l'école a semblé se fendre en deux, ses deux pentes ont semblé s'écarter et se soulever, toute l'école a semblé s'ouvrir comme une boîte. Aussitôt, Asie Azothe et moi, nous sommes, comme des fusées, lancées hors de l'école.

Nous avons été les premières dehors, les premières dans l'été. La cour de récréation était si silencieuse que nous entendions chanter le seul oiseau qui chantait dans le bosquet, comme si nous avions été seules avec lui dans une chambre.

L'air de la grande cour vide, si libre et si léger, nous incitait à courir plus vite. Les touffes de chiendent qui avaient résisté aux pas des promenades, allées, venues et courses, étaient plus rares sur la terre brune du parc muet et désert que les bateaux sur la surface de toute une mer.

Qu'il faisait chaud! Il fallait qu'il fasse chaud pour qu'un seul des millions d'oiseaux du bosquet chante!

Réjean DUCHARME
L'Océantume
Éditions Gallimard

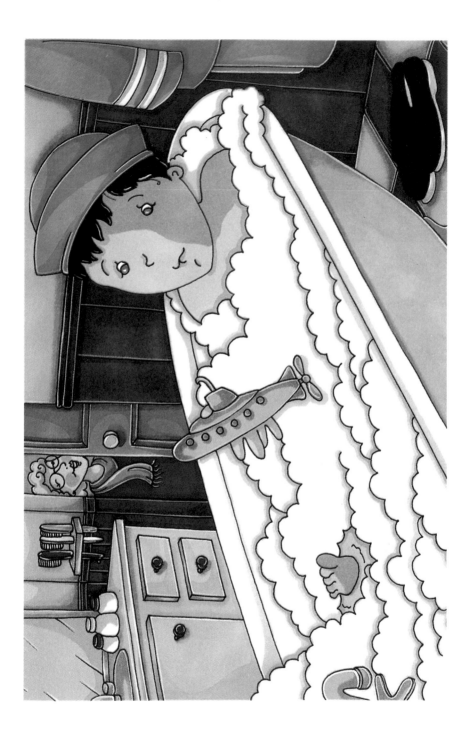

Tante Irène

orsque tante Irène s'amenait à la maison pour les Fêtes, elle arrivait toujours plus exubérante* que je ne l'attendais, porteuse de mille joies et de menus cadeaux.

Je ne savais trop où <u>donner de la tête</u>*. Elle me pressait contre elle ; son étreinte était longue, sa pelisse* douce et fraîche. Elle m'appelait son trognon*, son petit trognon.

C'est seulement aujourd'hui que je sais la signification de ce mot affectueux. À lui seul, il évoquait l'arrivée de cette tante si vivante et pourtant si près de mourir, l'unique sœur de ma mère plus blonde, plus placide*, qui la regardait avec un peu d'indulgence, néanmoins toute rengorgée de joie.

C'est un mystère pour moi que tante Irène ne se soit pas mariée. Elle aurait pu le faire et s'était refusée. Peut-être se savait-elle malade et ne tenait pas à mettre au monde des orphelins, elle qui avait à peine connu sa mère, si simple, dont elle ne se souvenait pas ; et peut-être l'avait-elle longuement regrettée ?

Elle avait décidé de rester libre et, son héritage ne suffisant pas à l'entretenir, de faire carrière d'infirmière.

Cette tante si séduisante, si diverse, à l'étreinte si douce, inoubliable, était vive à se reprendre.

— Oui, oui, mon trognon. Regarde maintenant ce que je t'ai apporté.

Le seul jouet dont je me souvienne était un sous-marin métallique qui, dans l'eau claire de la baignoire, ne plongeait si profond qu'il disparût. En surface ou en plongée, il restait toujours là, pareil à lui-même et monotone malgré son tangage.

Cette fois du sous-marin, ma mère m'avait permis de mettre mon habit matelot en son honneur. Vive à se dégager, ma tante m'avait laissé seul dans la salle de bains. Je connaissais la consigne maritime, à savoir qu'un capitaine n'abandonne jamais son bâtiment.

À cette époque, ma mère ne me demandait pas de faire comme tout le monde, de ne pas me penser plus fin que les autres.

Mais la fois du sous-marin, je n'en étais pas encore là, je restais capitaine, et ç'avait été par devoir, selon la consigne, que j'étais resté dans la salle de bains, auprès de mon submersible* qui faisait de son mieux avec une monotonie mécanique, plongeant sous l'eau et remontant à la surface, alors que je mourais d'envie de descendre.

En bas, tante Irène riait de mille vies…

Jacques FERRON
Les Confitures de coings
Éditions de l'Hexagone

* *donner de la tête* : savoir quoi faire

88

Une page de poésie

Lorsque j'étais une petite fille…

orsque
j'étais une petite fille,
je savais que l'été se cache
sous la robe fleurie du printemps
comme une abeille piquante
au cœur du chaud calice ;

je savais pourquoi je dessinais
des insectes pareils à des fleurs
et des fruits pareils à des astres ;

je connaissais la nuance
de l'eau à l'aube et l'ombre de l'arbre
où passait la ronde bleue des fées ;

je savais pourquoi
les lilas fleurissent en mai
aux pieds de la Vierge ;
je devinais tous les signes de la Création.

Rina LASNIER

Le ruban jaune

l m'était interdit de poser un pied sur le seuil de la chambre d'Odette.

— On y met un pied un jour et, disait-elle, le lendemain on y met les deux pieds.

Malgré tout, il advint qu'en passant devant la chambre d'Odette, je m'arrêtai à deux doigts du seuil et j'aperçus, qui dépassait un peu d'un tiroir mal fermé, un bout de ruban jaune.

Sur le coup, je désirai ce ruban jaune avec une telle force que je ne me rappelle pas avoir jamais ensuite tenu autant à aucun autre objet.

Mais pourquoi? Pour le mettre dans les cheveux de ma poupée? Ou dans les miens que j'avais fort embroussaillés* et qu'ainsi j'espérais peut-être embellir? Ou seulement pour le mettre au cou de mon gros chat gris, lequel dormait tout le jour sous les groseilliers? Je ne sais plus, je n'ai souvenir que d'une passion de désir de ce bout de ruban jaune.

J'envisageai aussitôt toutes les tactiques* et je me rangeai à une opinion de maman qui enseignait: «Ce qu'on demande très gentiment, de tout cœur, on l'obtient». Je m'en fus trouver Odette, tout miel:

— Ma bonne, ma gentille Odette !

— Qu'est-ce que tu veux encore ? fit-elle, en me coupant tous mes effets.

— Ton beau petit ruban jaune, s'il vous plaît, Odette, ai-je continué, mais avec beaucoup moins de douceur, peut-être déjà sur un pied de guerre.

De ma vie je n'ai vu personne bondir comme Odette, sauter si vite aux fausses conclusions, me fouiller d'un regard aussi pénétrant et m'accuser si vilainement :

— Fouilleuse ! Petite gale ! Fouilleuse, va ! T'as encore fouillé dans mes tiroirs !

Cette terrible réputation, il me semble que je ne la méritais pas, presque toujours arrêtée au bord des interdictions. Mais j'avais l'œil imaginatif, et un pouce de ruban dans le coin d'un tiroir ne laissait-il pas supposer tout ce qu'à l'intérieur il pouvait y avoir de caché ?

Je fus si blessée en tout cas que je m'en allai dans la cabane que j'avais alors au fond du jardin — cabane faite comme pour y jouer des pièces puisque, telle une scène de théâtre, elle n'avait que trois côtés : j'avais manqué de planches pour m'enfermer tout à fait.

Gabrielle ROY
Rue Deschambault
Fondation Gabrielle Roy

Le roi choisit un nouveau ministre

n jour mourut le ministre plein de sagesse du roi de l'Ouest. Il fallut le remplacer. Parmi les candidats, le roi remarqua un jeune garçon aux yeux particulièrement éveillés.

Il le mit à l'épreuve en lui confiant la garde d'un mulet.

Le roi donna l'ordre de voler l'animal, puis fixa un jour pour voir le mulet et arriva chez le jeune homme. Il le trouva sur les épaules de son père et le menant comme il l'aurait fait d'un coursier.

Le roi demanda :

— Pourquoi cela ? Ne sais-tu pas qu'un père est mille fois plus sage et plus respectable qu'un fils ? Il faut toujours respecter celui qui a créé.

Le jeune homme, après avoir écouté le roi, s'en alla chercher un petit âne dans l'écurie et dit :

— Je ne peux te redonner ton mulet qui a bien mystérieusement disparu, mais accepte cet âne, père de ton mulet, puisque tu me dis qu'un père vaut bien plus qu'un fils turbulent.

Surpris, le roi ne sut que répondre, mais séduit par l'intelligence et la finesse du jeune garçon, il en fit son nouveau ministre.

Philippe JACQUIN
Népal
Reproduit avec la permission de l'UNESCO

Les maisons de Danny

Danny et Pilon sont deux grands amis, aussi pauvres l'un que l'autre. Mais voilà que Danny fait un héritage inattendu : deux maisons.

— Pilon, s'écria-t-il, Pilon, mon petit bébé, mon canard dodu! J'avais oublié. J'ai hérité. Je possède deux maisons.

— Est-ce qu'elles valent quelque chose, ces maisons?

Danny se laissa retomber, épuisé par l'émotion.

Pilon demeura silencieux, absorbé dans ses pensées. Son visage prit une expression funèbre. Il jeta dans le feu une poignée d'aiguilles de pin, suivit des yeux les flammes qui montèrent en flèche, puis moururent. Il plongea ses yeux dans ceux de Danny, longuement, soupira une fois, deux fois.

— C'est fini, maintenant. Les temps héroïques* sont accomplis.

— Qu'est-ce que tu veux dire, qu'est-ce qui est fini? demanda Danny.

— Ce n'est pas la première fois, reprit Pilon. Quand on est pauvre, on pense : « Si j'avais de l'argent, je partagerais avec mes amis ». Mais quand cet argent tombe du ciel, la charité s'envole. Voilà ce qui en est, ô toi qui fus mon ami. Tu es maintenant élevé

99

au-dessus de tes amis. Tu es un possédant. Tu oublieras des amis qui ont tout partagé avec toi.

Ces mots bouleversèrent Danny.

— Pas moi, se récria-t-il, je ne t'oublierai jamais, au grand jamais, Pilon.

— C'est ce que tu crois maintenant, affirma Pilon froidement. Mais quand tu auras deux maisons dans lesquelles coucher, tu verras. Pilon est un mauvais paisano*. Toi, tu dîneras avec le maire.

Danny se leva malaisément et s'adossa à un arbre.

— Pilon, je jure que ce qui est à moi est à toi. Tant que j'aurai une maison, tu auras une maison.

— Il faudra que je le voie pour y croire, conclut Pilon d'une voix morne. Ce serait un vrai miracle.

Le notaire les laissa à la porte de la seconde maison, il monta dans sa Ford qui redescendit en cahotant vers Monterey*. Danny et Pilon demeurèrent devant la barrière de piquets délavés, contemplant la propriété avec admiration : une maison basse, des restes de vieux badigeon*, des fenêtres aveugles et sans rideaux.

— C'est la plus belle des deux, dit Pilon. Elle est plus grande que l'autre.

Danny tenait une clé neuve dans la main. Il gravit le perron délabré sur la pointe des pieds et ouvrit la porte. La chambre principale était exactement dans l'état où le viejo* l'avait laissée : le calendrier à roses rouges de l'année 1906, au mur, le fanion* de soie.

Pilon passa la tête dans la porte.

— Trois pièces, dit-il, le souffle court, trois pièces, un lit et un fourneau. Danny, nous allons être heureux ici !

Danny avançait prudemment, il gardait d'amers souvenirs du viejo. Pilon se précipita jusqu'à la cuisine.

— Un évier avec l'eau courante, s'écria-t-il.

Il ouvrit le robinet.

— Mais il n'y a pas d'eau ; Danny, il faudra demander à la Compagnie de la remettre.

Face à face, les deux amis se souriaient. Pilon remarqua toutefois que les soucis du propriétaire s'inscrivaient sur les traits de Danny. De toute sa vie, il ne connaîtrait plus l'insouciance, il ne casserait plus de fenêtres, puisqu'il avait désormais ses propres fenêtres à casser.

Pilon avait raison. Danny était maintenant élevé au-dessus de ses camarades. Ses épaules se raidissaient pour faire face aux problèmes complexes de la vie.

— Pilon, dit-il avec mélancolie, si seulement la maison était à toi, pour que je puisse venir y habiter avec toi !

Le soir, ils allumèrent un feu de pommes de pin dans le petit poêle. Les flammes ronronnaient. Danny et Pilon, bien nourris, au chaud et heureux, se balançaient tout doucement dans leurs chaises.

— C'est bon, tout ça, dit Pilon. Pense à toutes les nuits où nous avons dormi au froid. Voilà la vraie manière de vivre.

— Oui, répondit Danny, et c'est étrange ; des années durant, je n'ai pas eu de maison. Maintenant, j'en ai deux. Je ne puis dormir dans deux maisons à la fois.

Pilon avait horreur du gaspillage.

— Justement, je me tourmente de la même chose que toi. Pourquoi ne louerais-tu pas ton autre maison ?

Les pieds de Danny touchèrent brusquement terre.

— Pilon, mon ami, pourquoi n'y avais-je pas pensé?

Et comme l'idée se précisait en lui:

— Mais qui la louera, Pilon?

— Moi, je la louerai, affirma Pilon. Je paierai dix dollars de location par mois.

— Quinze, corrigea Danny. C'est une bonne maison. Elle vaut ça.

En rechignant*, Pilon accepta.

John STEINBECK
Tortilla flat
Éditions Denoël

102

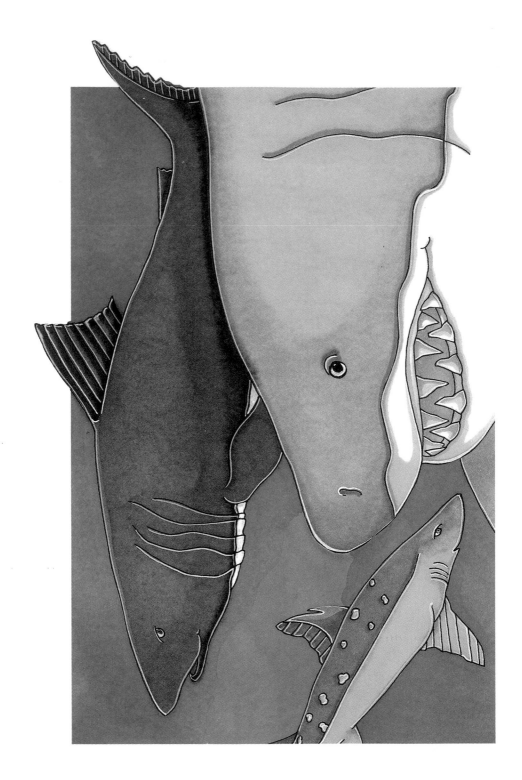

Une page de zoologie

Les requins du Québec

part les pêcheurs, peu de gens ont l'occasion de voir des requins dans leur habitat naturel.

On sait, par exemple, que parmi les trois cent cinquante espèces de requins connues, sept visitent les côtes maritimes du Québec : l'aiguillat commun ou chien de mer, l'aiguillat noir, la laimargue du Groënland*, la maraîche, le requin bleu, le grand requin blanc et le pèlerin.

Ces requins ne sont d'ailleurs que des touristes saisonniers : ils passent généralement l'hiver plus au sud. Au printemps, dès que la mer se réchauffe, ils remontent dans les eaux canadiennes plus froides et plus riches en nourriture. La laimargue du Groënland passe l'hiver, parfois l'automne et le printemps, sous notre latitude, migrant vers l'Arctique l'été venu. De même, la présence du grand requin blanc dans les Maritimes a été confirmée pour tous les mois de l'année, sauf pour janvier.

Le plus imposant de ces visiteurs est sans nul doute le pèlerin, deuxième plus gros poisson au monde après le requin-baleine.

Les individus rencontrés au Québec mesurent entre huit et dix mètres.

Les plus gros requins ne sont pas nécessairement les plus redoutables! Notre géant, le pèlerin, est l'un des trois seuls requins planctophages* au monde (le seul au Canada). On peut l'approcher sans danger, ce que font parfois des plongeurs gaspésiens.

Le régime alimentaire des requins n'a pas non plus fini d'étonner. Par exemple, on a déjà retrouvé dans un estomac de laimargue d'une longueur de près de cinq mètres, les mâchoires d'un requin bleu de plus de deux mètres et même, dans un autre, un caribou complet! Les marsouins et les phoques constitueraient les mets favoris du grand requin blanc.

Denis CHOINIÈRE et Jean-Claude BELLES-ISLES
Oui, il y a des requins au Québec
Québec Science, vol. 26, no 1

Le jars

l vient d'arriver un affreux malheur.

Elles étaient douze oies neigeuses et grasses, contentes de vivre.

Un jars magnifique, lustré dans son plumage blanc, présidait avec une rare distinction de manières à leur destinée. Sagace•, pondéré, d'une autorité à la fois conciliante• et ferme, ce jars avait réellement le sens du gouvernement. Il était édifiant à voir quand, la patte levée, dans un précieux dandinement, il dirigeait la procession des oies autour des bâtiments.

Les oies picoraient dans l'herbe ou s'épivardaient• près des trémies vides, et on le voyait, la tête attentive, noblement veiller sur elles afin que rien de fâcheux ne leur arrive. Si les oies, fuyant les ardeurs de la soleillée, se déposaient paresseusement dans le fourré• de pimbina, le jars, lui, restait debout, l'œil rond, en plein soleil. Il donnait à toute la basse-cour un bel exemple de vigilance et de bonne tenue.

Il savait protester, manifestant à la moindre contrariété une humeur fort acariâtre•. La fermière l'avait pris en grippe* à cause de cet irréductible tempérament qui perçait chaque fois que la paix des oies était menacée par l'incident le plus insignifiant. Dans le fond, un vieux conflit existait entre le jars et la fermière.

Cela se réglait à l'occasion par des coups sournois. Soit que le jars pinçât le mollet de la fermière ou que la fermière lui bottât le derrière, qu'il avait heureusement fort emplumé.

Or c'est à ce jars magnanime* qu'il est arrivé un malheur, dimanche dernier.

Les oies barbotaient, glissaient sur l'eau vivante, folâtraient dans les herbes hautes. Elles ouvraient leurs ailes pour simuler l'envolée. Le jars, qui savait être familier à bon escient**, dirigeait la joyeuse manœuvre. Dans un concert de voix nasales, toutes fraîches et nettes, elles s'en revenaient maintenant, comme les voitures de la messe se déroulaient sur la route poudreuse.

C'est au passage du chemin du roi qu'est survenu le malheur. Conscient du danger possible, le jars, cette fois, fermait la marche. Il allait se trouver en zone sûre quand il fut happé par l'auto d'un chauffard. Il roula dans la blancheur de ses plumes brisées. Quand on vint à son secours, il gisait inanimé. Le sang maculait* le duvet de son cou tordu.

Les oies demeurèrent interloquées* un moment. Puis quand elles virent qu'on enlevait le corps inerte de leur jars bien-aimé, elles s'éloignèrent d'une démarche flottante, tirant à droite, tirant à gauche, sans direction. Leur chant rauque disait leur profond attristement.

C'était leur adieu au jars dont la vie avait été si bellement dévouée à la tâche ingrate de veiller sur la couvée.

Clément MARCHAND
Les œuvres d'aujourd'hui

* *avait en grippe* : détestait
** *à bon escient* : avec bon sens, avec discernement

Dors, mon petit

ors, mon petit, pour que les fleurs fleurissent.
Les fleurs qui, la nuit, se parent, se lissent,
Si l'enfant reste éveillé,
N'oseront pas s'habiller.

Mais s'il dort, les fleurs, en la nuit profonde,
N'entendant plus du tout bouger le monde,
Tout doucement, à tâtons,
Sortiront leurs boutons.

Quand il dormira, toutes les racines
Descendront sous terre au fond de leurs mines
Chercher pour toutes les fleurs
Des parfums et des couleurs.

Marie NOËL
Les Chansons et les heures
Éditions Stock

L'éléphant et l'océan

n éléphant, encore adolescent,
rencontre un paon à l'air arrogant*.
— Petit Paon, as-tu déjà vu l'océan?
— Non, mais on m'a dit qu'il est si grand
que tu te noierais dedans!

Notre éléphant réfléchit un instant.
« Me noyer dans l'océan,
cela est sans bon sens.
Ce petit paon est un pédant*. »

Et résolument,
Il se met en route vers l'océan.

Il aperçoit bientôt, se rafraîchissant à un étang,
un girafeau aux grands yeux innocents.
— Girafon, mon cher enfant,
as-tu déjà vu l'océan?
— Non, monsieur l'Éléphant,
mais on m'a dit qu'il est très grand,
si grand que vous vous noieriez dedans.

« Me noyer dans l'océan,
cela est sans bon sens.
Ce girafeau n'est qu'un enfant. »

Et, se dandinant,
il continue sa route vers l'océan.

Il distingue soudain sur un rocher brûlant
une panthère noire aux yeux étincelants.
— Madame Panthère, lui dit-il galamment,
avez-vous déjà vu l'océan?
— Et que non! répond la panthère ironiquement,
mais on m'a dit qu'il est si grand,
si grand que tu te noierais dedans.

Maître Éléphant lève sa trompe en barrissant.
«Cela est sans bon sens.
Cet animal est un mauvais plaisant*.
Je vais moi-même voir l'océan.»

Et, au pas d'un pur-sang•,
il descend tout le versant.

Au soleil couchant,
il se trouve au bord de l'océan.
Le temps est lourd, il n'y a pas de vent.
Le sable est mouvant,
l'animal est pesant.
Il avance, avance lentement…
Il enfonce, enfonce, dans le sable blanc
et disparaît dans l'océan.
On dit qu'il y est encore et que c'est en respirant
qu'il fait que la marée monte et qu'elle descend.

Simone BUSSIÈRES
C'est ta fête
Les Presses laurentiennes

* *un mauvais plaisant* : un farceur

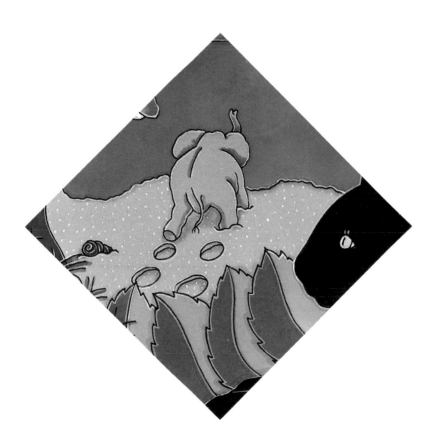

Un invité chez les Grandet

Monsieur Grandet est très riche, mais aussi très économe. Sa femme et sa fille souhaitent améliorer le menu ordinaire du dîner pour la visite d'un cousin d'Eugénie. Cela entraîne une discussion entre la servante Nanon et l'avare.

— Reste-t-il du pain d'hier? dit-il à Nanon.

— Pas une miette, monsieur.

Grandet prit un gros pain rond, bien enfariné, moulé dans un de ces paniers plats qui servent à boulanger en Anjou*, et il allait le couper quand Nanon dit:

— Nous sommes cinq aujourd'hui, monsieur.

— C'est vrai, répondit Grandet, mais ton pain pèse six livres, il en restera. D'ailleurs, ces jeunes gens de Paris, tu verras que ça ne mange point de pain.

— Ça mangera donc de la frippe, dit Nanon.

En Anjou, la frippe, mot du lexique populaire, exprime l'accompagnement du pain, depuis le beurre étendu sur la tartine, frippe vulgaire, jusqu'aux confitures d'alleberge*, la plus distinguée des frippes.

— Non, répondit Grandet, ça ne mange ni frippe ni pain. Ils sont quasiment comme des filles à marier.

Enfin, après avoir parcimonieusement ordonné le menu quotidien, le bonhomme allait se diriger vers son fruitier, en fermant néanmoins les armoires de sa dépense, lorsque Nanon l'arrêta pour lui dire :

— Monsieur, donnez-moi donc alors de la farine et du beurre, je ferai une galette aux enfants.

— Ne vas-tu pas mettre la maison au pillage à cause de mon neveu ?

— Je ne pensais pas plus à votre neveu qu'à votre chien, pas plus que vous n'y pensez vous-même. Ne voilà-t-il pas que vous ne m'avez donné que six morceaux de sucre, m'en faut huit.

— Ah ! ça, Nanon, je ne t'ai jamais vue comme ça. Qu'est-ce qui te passe donc par la tête ? Es-tu la maîtresse ici ? Tu n'auras que six morceaux de sucre.

— Eh bien ! Votre neveu, avec quoi donc qu'il sucrera son café ?

— Avec deux morceaux ; je m'en passerai, moi.

— Vous vous passerez de sucre, à votre âge ! J'aimerais mieux vous en acheter de ma poche.

— Mêle-toi de ce qui te regarde.

Nanon abandonna la question du sucre pour obtenir la galette.

— Mademoiselle, cria-t-elle par la croisée, n'est-ce pas que vous voulez de la galette ?

— Non, non, répondit Eugénie.

— Allons, Nanon, dit Grandet en entendant la voix de sa fille, tiens.

Il ouvrit la mette* où était la farine, lui en donna une mesure, et ajouta quelques onces de beurre au morceau qu'il avait déjà coupé.

— Il faudra du bois pour chauffer le four, dit l'implacable Nanon.

— Eh bien ! Tu en prendras à ta suffisance, répondit-il mélancoliquement, mais alors tu nous feras une tarte aux fruits, et tu nous cuiras au four tout le dîner ; ainsi, tu n'allumeras pas deux feux.

—Quien* ! s'écria Nanon, vous n'avez pas besoin de me le dire.

Grandet jeta sur son fidèle ministre un coup d'œil presque paternel.

— Mademoiselle, cria la cuisinière, nous aurons une galette.

Le père Grandet revint chargé de ses fruits et en rangea une première assiettée sur la table de la cuisine.

D'après Honoré de BALZAC
Eugénie Grandet

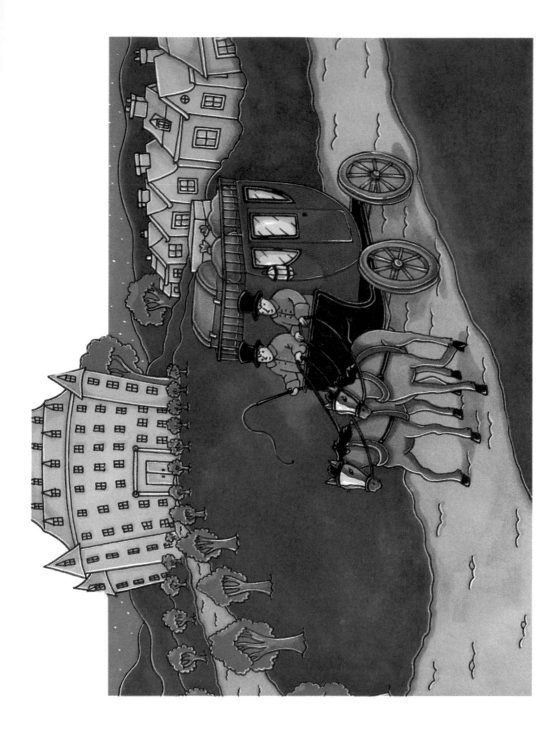

Le général rentre au pays

e général Dourakine s'était mis en route pour la Russie, accompagné par Dérigny, sa femme et ses enfants, Jacques et Paul. Le général était enchanté de changer de place, d'habitudes et de pays. Il n'était plus prisonnier, il retournait en Russie, dans sa patrie. Il emmenait une famille aimable et charmante qui tenait de lui tout son bonheur.

On s'arrêta peu de jours à Paris*, pas du tout en Allemagne* ; une semaine seulement à Saint-Petersbourg* dont l'aspect majestueux, régulier et sévère, ne plut à aucun des compagnons de route du général. On resta deux jours à Moscou* qui excita leur curiosité et leur admiration. Ils auraient bien voulu y demeurer, mais le général était impatient d'arriver avant les grands froids dans sa terre de Gromiline, près de Smolensk*. Faute de chemin de fer, ils se mirent dans la berline* commode et spacieuse que le général avait amenée depuis Loumigny*, près de Domfront*.

Dérigny avait pris soin de garnir les nombreuses poches de la voiture et du siège de provisions et de vins de toute sorte qui entretenaient la bonne humeur du général. Ce moyen innocent ne manquait pas son effet.

Mais les colères devenaient plus fréquentes. L'ennui gagnait le général. On s'était mis en route à six heures du matin ; il était cinq heures du soir. On devait dîner et coucher à Gjatsk*, qui se trouvait à mi-chemin de Gromiline, où l'on ne devait arriver qu'entre sept et huit heures du soir.

Il s'endormit, à la grande satisfaction de ses compagnons de route. Les heures s'écoulaient lentement pour eux ; le général Dourakine sommeillait toujours. Paul voulut parler. Les chut ! de Dérigny et les efforts de Jacques, entremêlés de rires comprimés, devinrent si fréquents et si prononcés que le général s'éveilla.

— Quoi ? Qu'est-ce ? dit-il. Pourquoi empêche-t-on cet enfant de parler ? Pourquoi l'empêche-t-on de remuer ? Ce qui m'ennuie, c'est que nous allions si doucement. Hé ! Dérigny, mon ami, faites donc marcher ces izvochtchiks ; nous avançons comme des tortues.

— Mon général, je le dis bien, mais ils ne me comprennent pas.

— Sac à papier ! Ces drôles-là ! Dites-leur dourak, skatina, skareï !

Dérigny répéta avec force les paroles russes du général. Le cocher le regarda avec surprise, leva son chapeau et fouetta ses chevaux qui partirent au grand galop. Skareï ! Skareï ! répétait Dérigny quand les chevaux ralentissaient leur trot.

Le général se frottait les mains et riait. Avec la bonne humeur revint l'appétit. Dérigny passa à Jacques, par la glace baissée, des tranches de pâtés, de jambon, de membres de volailles, des gâteaux, des fruits, une bouteille de bordeaux : un véritable repas.

— Merci, mon ami, dit le général en recevant les provisions. Vous n'avez rien oublié. Ce petit hors-d'œuvre nous fera attendre le dîner.

Dérigny, qui comprenait le malaise de sa femme et de ses enfants, pressa si bien le cocher et le postillon qu'on arriva à Gjatsk à sept heures. Le général fut content du dîner mesquin, du coucher dur et étroit. Il se coucha tout habillé et dormit d'un somme depuis neuf heures jusqu'à six heures le lendemain.

Tout était prêt : le courrier venait de partir pour commander les chevaux au prochain relais. Chacun prit sa place dans la berline. Le temps était magnifique et le général, de bonne humeur mais pensif.

Après une journée fatigante, ennuyeuse, animée seulement par quelques demi-colères du général, on arriva à dix heures du soir au château de Gromiline.

Plusieurs hommes barbus se précipitèrent vers la portière et aidèrent le général engourdi à descendre de voiture. Ils baisèrent ses mains en l'appelant Batiouchka (père). Les femmes et les enfants vinrent à leur tour, en ajoutant des exclamations et des protestations. Le général saluait, remerciait, souriait.

D'après la comtesse de SÉGUR
Le Général Dourakine

125

Grand-mère et moi

J'aimais changer de noms, passer de la biche au flamant, de la pivoine à l'hirondelle et même de la petite gourde à l'apprenti-sorcier. En ville je n'étais que Julie, vingt-quatre heures sur vingt-quatre.

— Mon poussin carnivore, irais-tu me chercher des beaux œufs frais au poulailler?

— Ma bichette sautillante viendrait-elle galoper auprès de son grand-père jusque chez Anselme le cordonnier?

— Approche, mon petit âne rose, que je te montre un peu comment on soigne les tomates qui n'ont pas envie de rosir.

— Notre rayon de soleil qui arrive!

— Où as-tu sauté les clôtures, ma pouliche?

Je n'arrêtais pas d'être différente tout en restant moi-même. Quelle aubaine! De vraies vacances. Un jour, je décidais d'être le Chaperon rouge*, un autre, le Petit Poucet* ou Peau d'âne*, sans que cela incommode personne. Pas de dame pour me dire:

— Voyons, Julie, reviens sur terre et laisse le panier à couture à sa place. Pourquoi te recouvres-tu de cette peau de bête?

Mes fantaisies ne désolaient personne dans la grande maison ancestrale, bien au contraire!

— Grand-mère, tu fais des tartes, alors on joue à Blanche-Neige*. Moi je fais les sept nains, je suis trop grande pour un seul.

— Grand-père, tu vas chercher une citrouille ?

Alors, je suis Cendrillon*. J'étais la chorégraphe de toutes mes histoires. On se pliait de bonne grâce à mes jeux sans rien retarder ni changer du programme des adultes. On travaillait en jouant. « Dame-Jardin » m'a appris à compter en équeutant des fraises et en pelant des pommes. Ah ! les mathématiques et les problèmes que l'on peut manger, si l'on trouve la bonne réponse ! Et la grammaire qui avait le goût des rayons de miel.

— Si tu peux me réciter le verbe aimer au présent, mon petit ourson aura…
— Un carré de miel !
— Je suis tout ouïe*.

Et grand-père ouvrait grand les yeux… J'ai été fort surprise d'apprendre que l'ouïe se situait au niveau des oreilles. Car on peut aussi comprendre avec ses yeux ! Il s'agit d'ouvrir l'œil… et le bon !

Françoise DUMOULIN-TESSIER
Quatre jours, pas plus !
Éditions Pierre Tisseyre

Une visite à Babylone•

uatre ou cinq grands événements jalonnaient• notre année scolaire : la séance de cinéma offerte par l'école à prix réduit, l'excursion à bicyclette à une ferme modèle et, surtout, la visite annuelle à Babylone.

Deux ou trois wagons nous étaient réservés dans le train. Munis de notre casse-croûte, nous déballions fruits, œufs durs, omelettes et cuisses de poulet. Les adeptes du modernisme s'appliquaient laborieusement à ouvrir des boîtes de sardines.

Nous en avions chacun pour quatre ou cinq repas et, n'ayant plus faim, nous cherchions, par la variété, à fouetter notre gourmandise. Nous échangions une poire pour une pêche, une orange pour une banane. Nous n'arrêtions pas de crier et de chanter. Engagés dans les grands départs, nous goûtions déjà l'aventure.

À chaque arrêt du train, nous nous faisions photographier avec les habitants, fixant pour la postérité• notre rencontre avec ces peuples éloignés.

Arrivés à Babylone, nous visitions les ruines, déambulant à travers les débris des jardins suspendus, admirant les canalisations et les routes bien plus perfectionnées que les villages contemporains• qui parsèment la route. Au milieu des ruines, le lion à tête coupée conservait toute sa majesté. Quelques-uns avaient le droit d'escalader le socle et d'enjamber la statue grise.

Ville aride*, sans végétation, cernée de toute part par le désert. Notre visite se terminait et nous cherchions avec impatience un coin sombre pour continuer de grignoter notre interminable casse-croûte.

Naïm KATTAN
Adieu, Babylone
Éditions de la Presse

Le lion de Patricia

Le père de Patricia est administrateur d'une réserve d'animaux sauvages, en Afrique. Un voyageur visite cette réserve quand, soudain...

u-delà du mur végétal, il y avait un ample espace d'herbes rases. Sur le seuil de cette savane*, un seul arbre s'élevait. Il n'était pas très haut. Mais de son tronc noueux et trapu partaient, comme les rayons d'une roue, de longues, fortes et denses branches qui formaient un parasol géant. Dans son ombre, la tête tournée de mon côté, un lion était couché sur le flanc. Un lion dans toute la force terrible de l'espèce et dans sa robe superbe. Le flot de la crinière se répandait sur le mufle allongé contre le sol.

Et, entre les pattes de devant, énormes, qui jouaient à rentrer et à sortir leurs griffes, je vis Patricia : son dos était serré contre le poitrail* du grand fauve. Son cou se trouvait à portée de la gueule entrouverte. Une de ses mains fourrageait* dans la monstrueuse toison.

King, le bien nommé. King, le Roi. Telle fut ma première pensée.

Le lion releva la tête et gronda. Il m'avait vu. Une étrange torpeur amollissait mes réflexes. Mais sa queue balaya l'air immobile et vint claquer comme une lanière* de fouet contre son flanc. Alors je cessai de trembler : la peur vulgaire, la peur misérable avait contracté chacun de mes muscles.

Le lion gronda plus haut, sa queue claqua plus fort. Une voix dépourvue de vibrations, de timbre, de tonalité m'ordonna :
— Pas de mouvement. Pas de crainte. Attendez.

D'une main, Patricia tira violemment sur la crinière ; de l'autre, elle se mit à gratter le mufle du fauve entre les yeux. En même temps, elle lui disait en chantonnant un peu :
— Reste tranquille, King. Un ami, un ami.

La queue menaçante retomba lentement sur le sol. Le grondement mourut peu à peu. Le mufle s'aplatit de nouveau contre l'herbe et, de nouveau, la crinière, un instant dressée, le recouvrit à moitié.
— Faites un pas, me dit la voix insonore.

J'obéis. Le lion demeurait immobile. Mais ses yeux, maintenant, ne me quittaient plus.
— Encore, dit la voix sans résonance.

J'avançai.

De commandement en commandement, de pas en pas, je voyais la distance diminuer de façon terrifiante entre le lion et ma propre chair.

Cette voix, je le savais en toute certitude, était ma seule chance de vie, la seule force — et si précaire*, si hasardeuse — qui nous tenait, Patricia, le fauve et moi, dans un équilibre enchanté.

Mais est-ce que cela pouvait durer ? Je venais de faire un pas de plus.

Il ne gronda plus cette fois, mais sa gueule s'ouvrit comme un piège étincelant et il se dressa à demi.

— King, cria Patricia. Stop, King.

Il me semblait entendre une voix inconnue, tellement celle-ci était chargée de volonté, imprégnée d'assurance, certaine de son pouvoir.

— Votre main, vite, me dit Patricia.

Je fis comme elle voulait. Ma paume se trouva posée sur le cou de King, juste au défaut* de la crinière.

— Ne bougez plus, dit Patricia.

Elle caressa en silence le mufle entre les deux yeux. Puis elle m'ordonna :

— Maintenant, frottez la nuque.

Je fis comme elle disait.

— Plus vite, plus fort, commanda Patricia.

Le lion tendit un peu le mufle pour me flairer de près, bâilla, ferma les yeux. Patricia laissa retomber sa main. Je continuai à caresser rudement la peau fauve. King ne bougeait pas.

— C'est bien, vous êtes amis, dit Patricia gravement.

d'après Joseph KESSEL
Le Lion
Éditions Gallimard

Boubou

et été-là, dans le parc des Laurentides, au nord de Québec, j'avais fait la connaissance d'un forestier* qui avait un camarade du nom de Boubou. C'était un Grand Duc âgé de quatre mois, qui commençait à chasser par ses propres moyens.

Cueilli sur le nid, il manifestait à l'égard des humains une confiance naturelle.

Je me souviens d'avoir été fort impressionné le jour où mon ami, au bord d'un lac, siffla plusieurs fois d'une manière particulière. Il ne fut pas long qu'un gros oiseau gris-brun au plumage finement rayé sur la poitrine vint se poser sur son épaule en lançant d'énergiques claquements du bec qui, paraît-il, m'étaient destinés. Ils signifiaient une certaine crainte devant l'inconnu.

Je me souviens avoir remarqué les serres noires acérées comme des lames, le bec fortement crochu, à demi caché par la moustache de vibrisses* foncées.

Je revois comme si c'était hier les deux aigrettes* en oreilles de chat et surtout les grands yeux jaunes, dont la pupille dessinait un point minuscule dans la masse de l'iris. Jamais je n'ai vu d'aussi près l'œil d'un hibou à l'état sauvage. Avec le temps, j'appris que cet organe est une des merveilles du monde animal.

J'ai revu le Grand Duc, pour la dernière fois, dans une circonstance cocasse qui n'est pas sans rappeler une des scènes du conte merveilleux.

Je roulais, un après-midi de fin d'été, en pleine ville de Québec. À un feu de circulation, une petite Austin freina à ma hauteur, sur ma gauche, et klaxonna. En tournant la tête, je reçus un coup d'émotion : sur le dossier de la banquette droite était perché nul autre que Boubou, fasciné* par le spectacle de la rue, devant lui. Je l'ai salué. Je ne l'ai plus jamais revu.

Trois mois plus tard, il tombait sous les balles de chasseurs qui l'avaient sans doute confondu avec un orignal !

Pierre MORENCY
L'Œil américain
Éditions du Boréal

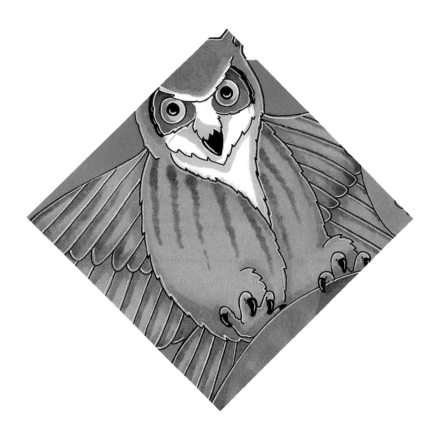

Été

a tache rousse du renard
au vert du pâturage
a suffi
la faulx plus ne se balance
et l'herbe plus n'est rase

vert-vert
il est un arbre
vert-vert
près de ma fenêtre
vert-vert et noir un peu
qui me salue
vert-vert
de la tête
et noir un peu

Gérald GODIN
Ils ne demandaient qu'à brûler
Éditions de l'Hexagone

Les étés de mon enfance

ous passions l'été en Limousin*, dans la famille de papa.

Mon grand-père portait des favoris blancs, une casquette, la Légion d'honneur*, il fredonnait toute la journée.

Il me disait le nom des arbres, des fleurs et des oiseaux. Des paons faisaient la roue devant la maison couverte de glycines et de bignonias ; dans la volière, j'admirais les cardinaux à la tête rouge et les faisans dorés.

Barrée de cascades artificielles, fleurie de nénuphars, la rivière anglaise, où nageaient des poissons rouges, enserrait dans ses eaux une île minuscule que deux ponts de rondins reliaient à la terre.

Cèdres, wellingtonias, hêtres pourpres, arbres nains du Japon, saules pleureurs, magnolias, araucarias, feuilles persistantes et feuilles caduques, massifs, buissons, fourrés* : le parc, entouré de barrières blanches, n'était pas grand, mais si divers que je n'avais jamais fini de l'explorer.

Nous le quittions au milieu des vacances pour aller chez la sœur de papa. Chez ma tante, comme chez grand-père, on me laissait courir en liberté sur les pelouses, et je pouvais toucher à tout. Grattant le sol, pétrissant la boue, froissant feuilles et corolles, polissant les marrons d'Inde, éclatant sous mon talon les cosses gonflées de vent, j'apprenais ce que n'enseignent ni les livres, ni l'autorité.

J'apprenais le bouton d'or et le trèfle, le phlox sucré, le bleu fluorescent des volubilis, le papillon, la bête à bon Dieu, le ver luisant, la rosée, les toiles d'araignées et les fils de la Vierge ; j'apprenais que le rouge du houx est plus rouge que celui du laurier-cerise ou du sorbier, que l'automne dore les pêches et cuivre* les feuillages, que le soleil monte et descend dans le ciel sans qu'on le voie jamais bouger.

Le foisonnement* des couleurs, des odeurs, m'exaltait. Partout, dans l'eau verte des pêcheries, dans la houle des prairies, sous les fougères qui coupent, aux creux des taillis, se cachaient des trésors que je brûlais de découvrir.

d'après Simone de BEAUVOIR
Mémoires d'une jeune fille rangée
Éditions Gallimard

La pêche aux petits poissons des chenaux

ls atteignent enfin la cabane.

On entend par endroits la glace se contracter sous l'action du froid. La porte n'est retenue que par un loquet de bois qu'il suffit de tourner dans un sens ou dans l'autre pour embrasser d'un seul coup d'œil l'étendue des lieux : quatre murs de contreplaqué, distants de quelques pieds les uns des autres, un banc sans dossier et dans un coin, une petite chaufferette à pétrole.

— Attendez un peu. Vous allez voir. Y va faire chaud dans la minute.

Monsieur Lemieux a allumé le poêle.

— Bon ! À cette heure, on va casser le frasil* puis... à nous les petits poissons !

Le sol est fabriqué de planches. Deux d'entre elles, amovibles*, se soulèvent facilement. Dessous, la glace, plus sombre, est moins épaisse. Armé d'une hachette, il enlève la couche nouvellement formée. L'eau noire apparaît.

— Aucun danger, avec ce plancher de glace-là, de partir à la dérive jusqu'à Québec, s'esclaffe-t-il, ayant compris la crainte naissante de Paul. Aie pas peur, mon gars, on pourrait se promener en bulldozer sur le fleuve à ce temps-ci de l'année. De toute façon, on n'aurait même pas de l'eau par-dessus la tête à l'endroit où l'on est.

— Mais si la chaufferette fait fondre la glace? réplique le garçon non rassuré.

— Peureux! Peureux! crient en chœur Lisette et Aline, qui n'en sont pas à leur première excursion de pêche sur la glace du Saint-Laurent.

— Avant que la chaleur traverse le plancher de bois, puis la nappe de glace, tu vas être en train de manger la pêche de cet après-midi, bien au chaud dans la maison, explique monsieur Lemieux.

Au-dessus de la rigole, s'enfonçant perpendiculairement* dans l'eau dégelée, sont suspendues une dizaine de cordes. L'homme en tire une à lui pour initier le débutant.

— Regarde bien! Au bout de chaque ligne, y a deux hameçons. On va les appâter avec du foie de porc. Les poissons adorent ça. Tu vois la petite allumette?

À mi-chemin entre le plafond et l'eau, chaque ligne se noue sur une allumette de bois dont le rôle est comparable à celui d'un flotteur: en bougeant, elle informe le pêcheur, assis en face sur son banc, d'une capture; de deux à la fois même, quand ça mord.

— Tiens, je vais te montrer comment poser l'appât.

Les doigts fouillant dans la masse de foie sanguinolente*, le père de Lisette et d'Aline détache de minces morceaux d'abats de porc qu'il accroche à chaque hameçon. Le fils Vivier tâche d'en faire autant. Les deux filles, elles, ont appâté leurs lignes depuis un bon moment déjà. La cabane s'est vite réchauffée.

De temps en temps, les allumettes de bois opèrent un petit mouvement hélicoïdal*; il faut alors tirer d'un coup sec sur la

150

corde et la remonter. Y frétille la prise, festin recherché en ce temps de l'année, et que l'on apprête de mille façons. À mesure qu'on les sort de l'eau, les poulamons sont expédiés sans pitié à l'extérieur, où ils surgèlent, s'agglutinant* en diverses colonies sur la glace du fleuve qui, au loin, fend sous la surface, dans un fracas du tonnerre.

Guy DESSUREAULT
La Maîtresse d'école
Éditions des Quinze

151

L'adoption de Drac

érôme s'assit sur une dalle* tapissée de champignons jaunâtres et laissa courir ses regards sur les décombres qui l'entouraient. Il souriait en contemplant les fougères, qu'une faible brise inclinait autour des dalles immuables. Des minutes passèrent, lentes comme des heures.

Soudain, une haleine chaude, coulant sur la main de Jérôme, le fit tressaillir. À côté de lui se tenait un chien, au pelage blanc et roux, qui le regardait droit dans les yeux, en frétillant de la queue.

D'où était-il venu ?

Le soleil avait percé la dernière brume. Une chaleur sèche descendait du ciel. Il était temps de rentrer. À pas pesants, Jérôme prit le chemin du retour. Le chien le suivit.

Jérôme lui jeta une pierre pour le chasser. La bête renifla le caillou, qui était tombé à côté d'elle, coucha ses oreilles et s'éloigna en trottinant.

Jérôme prit la route large et rocailleuse qui descendait vers le bourg*. Son ombre avançait, en tressautant*, sur le talus. Une autre ombre, plus basse, venait derrière. Bientôt elles se fondirent.

Le chien levait un regard fautif et tendre. Il ne demandait rien. Il s'offrait à un maître.

— Non, dit Jérôme. Suis-moi un moment, si ça t'amuse, mais c'est tout.

Le chien accepta.

La queue en trompette*, la tête haute, il paraissait très fier de marcher à côté d'un homme. Intrigués par ce nouveau venu, les mâtins* du pays vinrent le renifler. Il ne leur concéda qu'une attention de stricte politesse, et poursuivit son chemin sans dévier d'une ligne.

Quand Jérôme repassa devant l'église, les gens sortaient de la messe de onze heures. On échangea des saluts.

— C'est à vous, ce chien?
— Il semble bien doux et bien miséreux.
— Vous allez le garder?

Le chien attendait, la langue pendante, qu'on eût fini de discuter de son sort.

En arrivant devant la maison, il perdit son reste d'assurance. Assis sur le seuil, il refusait d'entrer dans la cuisine. Madame Pinteau poussa les hauts cris en le voyant. Cet affreux bâtard allait tout salir dans le logis.

— Il couchera à la forge, dit Jérôme sur un ton qui n'admettait pas de réplique. Préparez-lui une soupe, qu'il se remette un peu.

— Sois sage, dit-il. On se reverra tout à l'heure.

Et, laissant la brave femme le souffle coupé, il conduisit le chien dans l'atelier.

Plus tard, il lui apporta une gamelle* pleine de croûtons de pain trempé. Le chien se jeta sur la nourriture. Sa langue claquait dans le jus. Ses pattes tremblaient de plaisir.

— Mange, mange, murmurait Jérôme. Si seulement je savais ton nom! Comment vais-je t'appeler? Tu es un malin, un drac…

Au mot drac, le chien dressa les oreilles.
— Drac, reprit Jérôme tout joyeux. Ça te va? Drac! Drac! Il lui donna une écuelle* d'eau et rentra dans la cuisine.

Henri TROYAT
Amélie
Éditions Plon

* *la queue en trompette* : la queue relevée

155

L'éléphant blanc

ans une très vieille ville de l'Inde*, au joli nom de Patalipoutra, vivait, il y a bien longtemps, un blanchisseur.

C'était un homme riche, car il avait une foule de clients qui lui apportaient régulièrement leur linge et tous leurs habits à nettoyer.

Mais comme il s'était enrichi par son travail, il était jalousé par un potier*, son voisin. Celui-ci trouvait la maison du blanchisseur trop luxueuse, ses clients trop nombreux. Il s'employa à attirer les passants, installant devant sa porte les objets usuels qu'il confectionnait avec l'argile : des vases où l'eau se tient si fraîche, des assiettes pour recevoir le riz, des gobelets où l'on verse les boissons teintées de plantes aromatiques.

Et le potier avait, tout comme le blanchisseur, gagné la confiance du roi dont il était le fournisseur.

Il récoltait moins d'argent que son voisin. Aussi résolut-il de lui jouer un vilain tour afin de le ruiner. Un jour, il alla trouver le roi :

— Votre Majesté sait combien il serait glorieux pour Elle d'être le possesseur d'un éléphant blanc. Eh bien ! je sais que le blanchisseur, mon voisin, a un procédé mystérieux qui ferait de votre éléphant royal, d'un gris presque noir aujourd'hui, un éléphant tout éclatant de blancheur. Votre Majesté serait ainsi le souverain le plus célèbre et le plus envié de l'Inde entière.

Quand le blanchisseur se vit enjoindre* de blanchir l'éléphant royal, il fut tenté de faire résonner les voûtes du palais d'un énorme éclat de rire. Il savait le roi têtu et cruel : il comprit bien vite qu'il fallait accepter, mais en rendant au potier le méchant tour que celui-ci lui avait préparé.

— Sire, dit-il, c'est chose facile pour moi, ce que vous demandez là. Cependant, il me faudra tremper votre éléphant dans une très grande cuve emplie d'une eau bien savonneuse. Or, je ne possède malheureusement pas de récipient assez vaste pour contenir un aussi gigantesque animal que celui de Votre Majesté. Mon voisin le potier pourra certainement, sur votre ordre, me le construire.

Le potier comprit qu'à son tour il avait été joué et que le blanchisseur se vengeait de lui.

Il réunit en hâte ses parents et ses amis, les chargeant de lui apporter une énorme quantité d'argile.

Alors on se mit au travail ; il fallut des jours et des jours pour confectionner une cuve immense, autour de laquelle, quand elle fut terminée, on se mit à danser de joie.

Sur de longs bâtons que soutenaient leurs solides épaules, cinquante hommes portèrent en triomphe le long et large bassin jusqu'au palais du roi. Ils furent accueillis par les félicitations du roi qui, du haut de sa terrasse, les avait regardés venir.

Le blanchisseur fut aussitôt convoqué.

Il fit allumer un grand feu au milieu des jardins du palais. La baignoire de l'éléphant fut placée sur les bûches ; les servantes l'emplirent à l'aide de cruches d'eau puisée dans le Gange*. L'eau commençant à chauffer, on jeta dedans de grandes quantités de savon.

Au bout de trois jours, l'eau s'étant refroidie suffisamment pour ne pas brûler l'éléphant royal, il arriva conduit par son cornac*.

Un peu surpris, car il n'avait jamais connu de bain en dehors des rivières, l'éléphant consentit tout de même à pénétrer dans l'eau savonneuse. Mais en s'asseyant, il fit éclater en mille morceaux la cuve d'argile.

Le potier dut recommencer son œuvre. Il rassembla de nouveau tous ceux qu'il connaissait, les suppliant de l'aider.

Ils répondirent à son appel, et la cuve qu'ils édifièrent fut cette fois si lourde que deux cents hommes ne purent la porter.

On recommença encore et, en la soulevant, les porteurs la brisèrent. On réussit à en construire une autre, mais l'épaisseur des parois était telle que la chaleur de la flamme ne put jamais réchauffer l'eau.

Le potier perdit peu à peu tous ses amis, toute sa fortune. Il fut enfin obligé de renoncer à son entreprise. Le roi, furieux, le chassa : il ne pouvait lui pardonner de lui avoir fait espérer l'impossible.

Seul le blanchisseur avait été assez habile pour se défendre du potier, en exigeant de lui une chose irréalisable. Mais comme il était bon, il eut pitié de la détresse de son méchant voisin ; il le sauva de la misère.

Et le blanchisseur vécut de longues années heureux, car le roi avait compris la leçon et l'avait choisi pour son conseiller.

Marie-Simone RENOU
Cent et un contes choisis
Éditions Gründ

Une page de biologie

La petite histoire du café

e caféier est un petit arbre de douze à quinze pieds° qui appartient à la famille des rubiacées. Ses fleurs sont peu remarquables. Il y en a un grand nombre d'espèces. Celle que l'on cultive pour le commerce est le *Coffea arabica*, à feuilles assez petites, opposées, toujours vertes. Il se charge d'une profusion de fruits, d'un rouge brun à maturité, ayant peu de chair mais portant deux grosses graines dont on connaît l'usage et la saveur.

Le café, originaire de la Haute-Éthiopie°, était en usage depuis fort longtemps en Arabie et dans les pays voisins, quand, au début du XVIIᵉ siècle, il fut introduit en Europe.

Le caféier ne peut prospérer dans un climat où le thermomètre descend au-dessous de dix degrés. Il préfère un sol un peu humide et s'accommode du versant des collines.

La graine, après quinze à dix-huit mois en semis, peut être mise en place : on laisse un espace de sept à huit pieds entre chaque plant. Au bout de quatre ans, il commence à donner des fruits. Lorsqu'il a atteint huit à dix pieds de hauteur, on l'étête : ainsi, la tige émettra un plus grand nombre de branches latérales porteuses de fruits.

Le caféier porte des fleurs toute l'année, particulièrement au printemps et en automne. On cueille les fruits à la main. On les expose au soleil pour les débarrasser de leur pulpe. On remue les tas afin d'en éviter la fermentation.

La qualité du café dépend du terrain, du climat et de la température. Le plus estimé vient de Moka* ; ceux de Java*, de la Guyane*, de la Martinique* et des autres Antilles se disputent ensuite la préférence des consommateurs.

D'après Léon PROVANCHER
Une excursion aux climats tropicaux

Une page de poésie

L'enfant et la mer

est un enfant
qui joue avec la mer
ses mains comme des grèves
reçoivent les épaves
et les anciens voyages
que la mer lui rapporte au ressac
Il ne peut pas partir, il est trop jeune
C'est un enfant
qui joue avec la mer

Un jour, quand il sera grand
quand il ira lui-même au bout du songe
il cherchera pour son retour
un enfant aux yeux bleus
qui joue avec les brumes
Il n'aura plus que cet enfant
que ce petit pareil au rêve
pour garder à la mer son amour
Il n'aura plus que cet enfant
qui joue avec la mer
pour croire à son enfance

Odette FONTAINE
Les Joies atroces
Éditions de la Librairie Garneau

Le sauvetage

n soir que je commençais à m'endormir, je fus réveillé par des cris :

— Au feu !

Inquiet, effrayé, je cherchai à me débarrasser de la courroie qui me retenait ; mais j'eus beau tirer, me rouler à terre, la maudite courroie ne cassait pas. J'eus enfin l'heureuse idée de la couper avec mes dents.

La fumée pénétrait déjà dans mon écurie, et personne ne songeait à moi ; personne n'avait la charitable pensée d'ouvrir seulement ma porte pour me faire échapper. Les flammes augmentaient de violence ; je sentais une chaleur incommode qui commençait à me suffoquer.

« C'est fini, me dis-je, je suis condamné à brûler vif. »

À peine avais-je, non pas prononcé, mais pensé ces paroles, que ma porte s'ouvrit avec violence, et j'entendis la voix terrifiée de Pauline qui m'appelait. Heureux d'être sauvé, je m'élançai vers elle, et nous allions passer la porte, lorsqu'un craquement épouvantable nous fit reculer. Un bâtiment en face de mon écurie s'était écroulé ; ses débris bouchaient tout le passage : ma pauvre maîtresse devait périr pour avoir voulu me délivrer.

Pauline se laissa tomber près de moi. Je pris subitement un parti dangereux, mais qui seul pouvait nous sauver. Je saisis avec mes dents la robe de ma petite maîtresse presque évanouie, et je m'élançai à travers les poutres* enflammées qui couvraient la terre. J'eus le bonheur de tout traverser sans que sa robe prît feu.

Je déposai Pauline près d'un baquet plein d'eau, afin qu'elle pût s'en mouiller le front et les tempes en revenant à elle, ce qui ne tarda pas à arriver. Elle but quelques gorgées de l'eau du baquet et écouta. Le feu continuait ses ravages, tout brûlait ; on entendait encore quelques cris, mais vaguement, et sans pouvoir reconnaître les voix.

Je me sentais fatigué et j'avais soif. Je bus de l'eau du baquet ; je m'étendis près de la porte, et je ne tardai pas à m'endormir.

Je me réveillai au petit jour. Pauline dormait encore. Je me levai doucement ; j'allai à la porte, que j'entrouvris. Tout était BRÛLÉ, et tout était éteint ; on pouvait facilement enjamber les décombres et arriver en dehors de la cour du château. Je fis un léger hi-han pour éveiller ma maîtresse. Elle ouvrit les yeux et, me voyant près de la porte, elle y courut et regarda autour d'elle.
— Tout brûlé ! dit-elle tristement, tout perdu ! Je ne verrai plus le château, je serai morte avant qu'il soit rebâti.

Elle franchit légèrement les pierres tombées, les murs écroulés, les poutres encore fumantes. Je la suivais ; nous arrivâmes bientôt sur l'herbe ; là elle monta sur mon dos et je me dirigeai vers le village. Nous ne tardâmes pas à trouver la maison où s'étaient réfugiés les parents de Pauline.

Quand ils l'aperçurent, ils poussèrent un cri de joie et s'élancèrent vers elle. Elle leur raconta avec quelle intelligence et quel courage je l'avais sauvée.

Au lieu de courir à moi me remercier, me caresser, la mère me regarda d'un œil indifférent ; le père ne me regarda pas du tout.

— Ne parle plus de cet animal que je déteste et qui a manqué de causer ta mort.

Pauline soupira, me regarda avec douleur et se tut.

Depuis ce jour, je ne l'ai plus revue. La frayeur que lui avait causée l'incendie, la fatigue d'une nuit passée sans se coucher, et surtout le froid de la cave, augmentèrent le mal qui la faisait souffrir depuis longtemps. La fièvre prit dans la journée et ne la quitta plus. On la mit dans un lit dont elle ne devait pas se relever.

Personne ne s'occupa de moi ; je mangeais ce que je trouvais, je couchais dehors malgré le froid et la pluie. Quand je vis sortir de la maison le cercueil qui emportait le corps de ma pauvre petite maîtresse, je fus saisi de douleur, je quittai le pays et n'y suis jamais revenu depuis.

Comtesse de SÉGUR
Les Mémoires d'un âne

Le nid de vipères

— Passons à table, voulez-vous?

Nous passions à table. Je respirais d'une pièce à l'autre, répandue comme un encens, cette odeur de vieille bibliothèque qui vaut tous les parfums du monde.

Les deux jeunes filles réapparurent aussi mystérieusement, aussi silencieusement qu'elles s'étaient évanouies. Elles s'assirent à table avec gravité.

Maintenant, dépliant leur serviette, elles me surveillaient du coin de l'œil, avec prudence, se demandant si elles me rangeraient ou non au nombre de leurs animaux familiers. Car elles possédaient un iguane, une mangouste, un renard, un singe et des abeilles.

Il se fit un silence et pendant ce silence, quelque chose siffla légèrement sur le parquet, bruissa* sous la table, puis se tut. Je levai des yeux intrigués.

Alors, sans doute satisfaite de son examen, mais usant de la dernière <u>pierre de touche</u>*, et mordant dans son pain de ses jeunes dents sauvages, la cadette m'expliqua simplement, avec une candeur dont elle espérait bien, d'ailleurs, stupéfier le barbare, si toutefois j'en étais un :

— C'est les vipères.

Et se tut, satisfaite, comme si l'explication eût dû suffire à quiconque n'était pas trop sot. Sa sœur glissa un coup d'œil en éclair pour juger mon premier mouvement, et toutes deux penchèrent vers leur assiette le visage le plus doux et le plus ingénu du monde.

— Ah! C'est les vipères.

Naturellement ces mots m'échappèrent. Ça avait glissé dans mes jambes, ça avait frôlé mes mollets, et c'étaient des vipères…

Heureusement pour moi, je souris. Et sans contrainte : elles l'eussent senti. Je souris parce que j'étais joyeux, parce que cette maison, décidément, à chaque minute me plaisait plus ; et parce qu'aussi j'éprouvais le désir d'en savoir plus long sur les vipères. L'aînée me vint en aide :

— Elles ont leur nid dans un trou, sous la table.

— Vers dix heures du soir elles rentrent, ajouta la sœur. Le jour, elles chassent.

Antoine de SAINT-EXUPÉRY
Terre des hommes
Éditions Gallimard

* *pierre de touche* : test, moyen de vérifier quelque chose

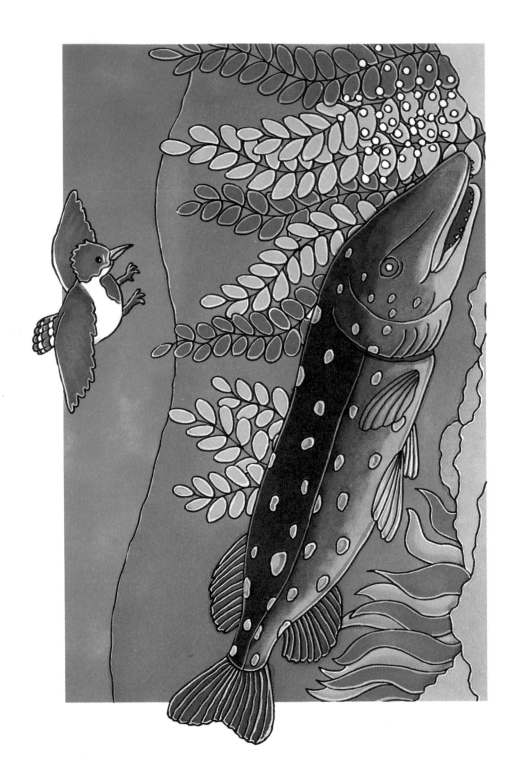

Une page de biologie

Le grand brochet

e grand brochet est un poisson semblable au maskinongé ; il s'en distingue principalement par sa coloration, qui est constituée de taches pâles sur fond sombre, alors que le maskinongé possède des bandes sombres sur fond pâle.

Il est présent un peu partout au Québec, dans les lacs, les rivières, et dans le Saint-Laurent, sauf dans l'extrême nord du Québec. Il recherche avant tout les rivières sinueuses à eau claire et chaude, à courant faible et à végétation dense, ou encore les baies chaudes des lacs, couvertes de plantes aquatiques.

Dès la fonte des glaces, les femelles pondent des milliers d'œufs sur les plaines inondables des rivières à végétation dense, dans les marécages et dans les baies des grands lacs où il n'y a souvent guère plus de quinze centimètres d'eau.

Les œufs et les jeunes sont la proie d'une variété de poissons, y compris le grand brochet lui-même, ainsi que d'oiseaux, tel le martin-pêcheur. Le brochet adulte est suffisamment grand et rusé pour n'avoir comme ennemis que les lamproies• et l'homme.

On classe le grand brochet adulte dans la catégorie carnivore-omnivore ; quatre-vingt-dix pour cent de son menu est constitué de poissons, laissant place, à certaines périodes de l'année, aux grenouilles, écrevisses, rats musqués et canetons.

Le brochet fournit une nourriture succulente : sa chair blanche, floconneuse, a un goût délicat.

Poissons indigènes
Aquarium du Québec

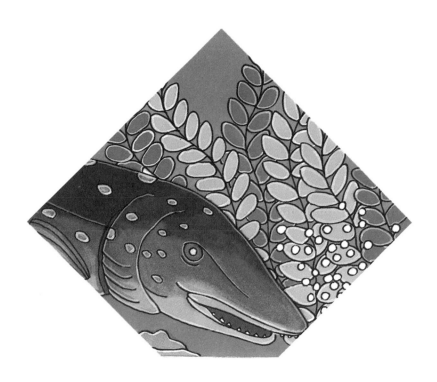

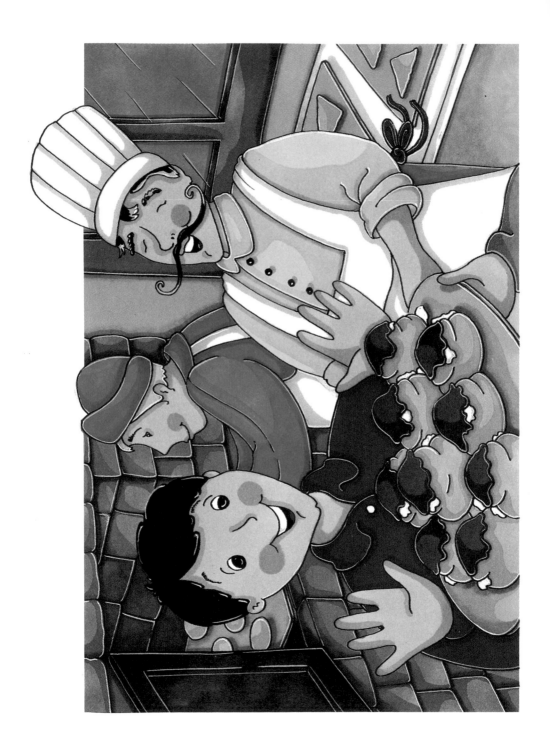

Olivier se régale

l s'arrêta plus longuement devant la vitrine du pâtissier Anglade dont la femme servait des gâteaux crémeux et fruités, des choux jaunes et blancs recouverts d'une coiffe de sucre glacé que les jeunes mangeaient sur place, en trichant un peu sur la quantité. Olivier regarda ces merveilles qui se nomment religieuses, éclairs, allumettes, mokas, madeleines, palmiers, mille feuilles, tartelettes, massepains... et revit les fameux tom-pouce au marasquin de la tante Victoria.

Quand la boutique se vida, Olivier, levant la tête, rencontra le sourire malicieux du pâtissier, bonnet blanc sur le chef*, qui s'apprêtait à un peu de repos. Avant qu'il eût le temps de s'éloigner, le commerçant s'adressa à lui :

— Bonjour, mon petit. Tu n'es pas d'ici ?

— Bonjour, m'sieur. Euh ! Si.

— Et de qui tu es ?

— Je suis le neveu de Victor, le maréchal-ferrant*. Mon grand-père...

— Tu n'es pas de la Victoria. Je connais le Marceau, il est plus grand que toi et... Mais, dis-moi...

— Mon père est mort. Il s'appelait Pierre.

— Tu es de Pierre ! De mon Pierou de l'Escoulas ! Entre, entre vite, mon petit. C'est vrai que tu lui ressembles, en plus clair.

Le pâtissier paraissait tout ému. En tablier blanc, il portait une moustache noire filée d'argent, aux longues pointes fines, et ses yeux charbonneux étaient vifs comme ceux des merles. Il répéta à sa femme :

— C'est le fils de Pierre, le fils de Pierre.

« Le fils de Pierre » : cela sonnait biblique.

— Tiens, tu vas boire quelque chose de bon. Un verre de liqueur de framboise.

Il l'emmena dans l'arrière-boutique. Là, une ravissante fillette brune serrait à pleine main la jupe de madame Anglade. Le pâtissier dit :

— C'est ma nièce de Paris, ici en vacances.

Olivier serra la main de sa concitoyenne qui lui adressa un regard de grande personne. Ils passèrent dans le laboratoire. Sur les tables, de grands plateaux noirs présentaient de minces rectangles de pâte qu'un mitron° enduisait° de sucre liquide avec un pinceau. Le pâtissier indiqua que c'étaient des allumettes. À la cuisson, elles allaient gonfler et se pailleter.

Madame Anglade lui tendait une assiette chargée de choux à la crème.

— Oh ! non, merci, madame.

— Tu ne vas pas faire de manières avec nous ! J'ai bien vu comment tu regardais la vitrine.

— Ben, ben, je suis un peu gourmand, avoua Olivier.

Le goût de la vanille et du caramel lui parfuma la bouche. Il ramassa avec le doigt un peu de crème sur son menton et lécha. Quand le mitron ouvrit le four, la chaleur mit le rouge aux visages.

Le pâtissier frottait ses mains par habitude de la farine, il rangeait les mèches folles d'Olivier, emplissait son verre, préparait une autre assiette de gâteaux, ne savait que faire pour honorer l'enfant de son ami.

En le raccompagnant vers la sortie, il ajouta :

— Tu reviendras et tu mangeras des gâteaux autant que tu le voudras, comme un apprenti mitron. Et je ne te ferai jamais payer, toi, le fils de Pierre !

La femme lui tendit un carton de petits fours frais noué d'un bolduc* rose pour sa grand-mère.

Robert SABATIER
Les Noisettes sauvages
Éditions Albin Michel

Pluie

T u danses, te balades,
Avec tes tambourins,
Imiteuse d'aubades,
De soupirs de malades,
De tumultes marins.

À ton bruit de crécelle*,
Compagne du printemps,
Mon être bat des ailes
Comme les hirondelles
Vers la beauté du temps.

Éva SENÉCAL
Le Choix d'Éva Senécal dans l'œuvre d'Éva Senécal
Les Presses laurentiennes

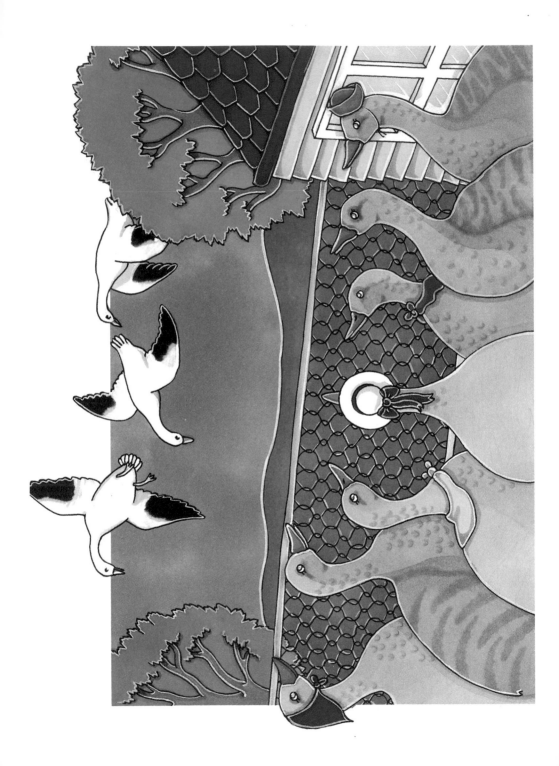

Les oies

l faisait un temps merveilleusement beau. Jamais Nils n'avait vu le ciel aussi bleu. Les oiseaux migrateurs passaient par bandes. Ils revenaient de l'étranger ; ils avaient traversé la Baltique* et allaient vers le nord.

Il y en avait de différentes espèces, mais Nils ne reconnaissait que les oies sauvages qui volaient sur deux longues files formant un angle. Plusieurs bandes d'oies avaient déjà passé.

Elles volaient très haut, mais il entendait pourtant leurs cris :
— Nous partons pour les fjells*, nous partons pour les fjells !

Lorsque les oies sauvages apercevaient les oies domestiques qui se promenaient dans la basse-cour, elles abaissaient leur vol et criaient :
— Venez avec nous ! Venez avec nous ! Nous partons pour les fjells !

Les oies domestiques ne pouvaient s'empêcher de lever la tête pour écouter. Mais elles répondaient, pleines de bon sens :
— Nous sommes bien ici ! Nous sommes bien ici !

C'était, comme nous l'avons dit, un jour merveilleusement beau, avec un air qui invitait au vol, si léger, si frais ! À mesure que de nouvelles bandes passaient, les oies domestiques devenaient inquiètes. Elles battaient des ailes, comme décidées à suivre les oies sauvages. Mais chaque fois, il se trouvait parmi elles quelques vieilles commères qui disaient :

— Ne faites donc pas les folles, celles-là auront à souffrir de la faim et du froid.

Selma LAGERLÖF
Le merveilleux voyage de Nils Holgersson

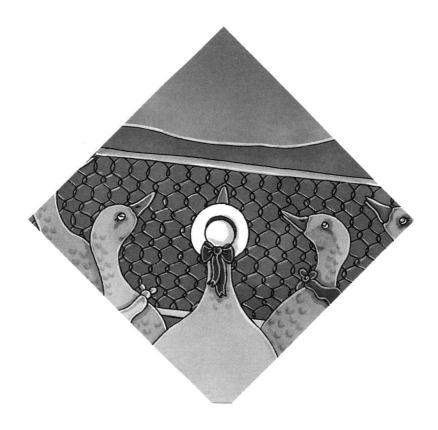

Le violon enchanté

utrefois, dans les campagnes du Québec, il y avait un personnage très important : le violoneux. Le violoneux était de toutes les soirées et de toutes les fêtes, car on comptait sur lui pour faire danser les jeunes et les moins jeunes.

Ce soir-là, c'était fête chez les Tremblay ; on célébrait les fiançailles de la cadette de la famille, la belle Cécile, avec Alexandre à Jean-Baptiste Bergeron. Toute la paroisse était réunie dans la grande cuisine ; depuis la brunante, les couples se succédaient sans arrêt pour danser les reels* et les rigaudons*.

Le violoneux de la région de Gatineau était surnommé Joe Violon. Grand, maigre, plein d'entrain, Joe Violon était infatigable, enfin, presque. Il arrivait, comme ce soir-là chez les Tremblay, que les danseurs deviennent comme enragés ; le pauvre violoneux ne savait plus où donner de la tête. Après avoir tricoté de l'archet pendant deux heures, Joe avait demandé grâce et s'était approché de la table, histoire de se restaurer un peu. Les danseurs se mirent à protester.

— Allons, Joe, encore un reel !

— Un bon violoneux comme toi... Ça serait-y que tu faiblirais ?

— Quoi ? répondit Joe Violon. Moi, faiblir ? J'en ai déjà fait danser des plus coriaces*.

— Des plus coriaces ? Où ça ?

— Dans le ciel, dit Joe Violon d'un ton pénétré. J'ai déjà fait danser les marionnettes.

Quelques invités mirent le nez à la fenêtre : en effet, les grands rideaux des aurores boréales s'étalaient sur le ciel sombre.

— C'est vrai ! Le ciel est plein de marionnettes, s'écrièrent-ils. Allons dehors ! Joe va les faire danser.

— Attention, dit Joe. Pour faire danser les marionnettes, il faut jouer le *Reel du diable*. Et une fois qu'on a invité ce malotru*-là, on ne sait pas ce qui peut arriver.

— N'essaie pas de te défiler, Joe Violon. Mets ta tuque et sors.

Chacun attrapa un lainage car, en novembre, les soirées sont fraîches. Joe s'installa sur la galerie et attaqua le fameux *Reel du diable*. Et, comme obéissant à un signal, les marionnettes se mirent à tressauter*, à glisser de gauche à droite et de droite à gauche, à monter et à descendre, enfin à se comporter comme de véritables danseurs de rigaudon. Les veilleux regardaient, fascinés.

— Je n'aurais jamais cru, murmuraient les plus cyniques*.

Joe s'arrêta soudain et, comme sur un signal, les aurores boréales commencèrent à s'estomper. Les spectateurs un peu transis s'empressèrent de rentrer. Sitôt dans la maison, on réclama de la musique.

— Vas-y, Joe Violon ! Il faut nous réchauffer.

En soupirant, Joe Violon s'installa et se mit à jouer le *Reel du diable*.

— Ah ! non. Pas encore le *Reel du diable*, s'écrièrent deux ou trois danseurs.

Mais comme Joe ne semblait pas vouloir s'interrompre, on se mit en place pour les figures de cette danse.

Quand cette danse plutôt essoufflante fut terminée, les veilleux demandèrent une pièce plus calme.

— Une valse lancier, Joe. Joue-nous une valse lancier.

Après s'être un peu fait prier, Joe Violon s'installa et attaqua… le *Reel du diable*.

Joe s'arrêta, s'essuya le front et bafouilla :

— Excusez… je recommence.

Et il recommença… le *Reel du diable*. Cette fois, ce fut la stupeur. Les invités le regardaient avec des yeux inquiets.

Une troisième tentative ramena la même musique, le sempiternel *Reel du diable*.

— Ma foi, le violon de Joe est enchanté, s'écria le gros Ferdinand à Thomas Bérubé.

— C'est peut-être à cause des marionnettes, bafouilla Joe Violon. Je n'aurais pas dû.

La soirée se termina sur cette note un peu troublante. Joe fut l'un des premiers à quitter les lieux, après avoir enveloppé son instrument dans un morceau de flanelle.

L'histoire ne dit pas si le fait d'avoir fait danser les marionnettes avait vraiment enchanté le violon de Joe ou si le violoneux, fatigué des exigences des danseurs, avait usé d'un subterfuge* pour se défiler. Tous ceux qui ont observé le ciel du Québec en automne savent que les aurores boréales dansent très bien toutes seules, sans attendre l'accompagnement d'un violoneux.

Henriette MAJOR
Pour changer d'aires
La fédération internationale
des professeurs de français

Le pensionnaire de maman

« Où est-il passé, mon Dieu ? disait-elle à mi-voix. Il était avec moi tout à l'heure. Il a déjà fait le tour de la maison. Il s'est peut-être sauvé… »

Entre chaque phrase, elle frappait au carreau trois petits coups à peine perceptibles. Personne ne venait ouvrir à la visiteuse inconnue.

Lorsque j'eus pénétré dans la salle à manger, immédiatement suivi de la visiteuse, ma mère apparut, tenant à deux mains sur sa tête des fils de laiton, des rubans et des plumes. Elle me sourit de ses yeux bleus fatigués d'avoir travaillé à la chute du jour, et s'écria :

— Regarde ! Je t'attendais pour te montrer…

Mais, apercevant cette femme assise dans le grand fauteuil, au fond de la salle, elle s'arrêta, déconcertée. Bien vite elle enleva sa coiffure et, durant toute la scène qui suivit, elle la tint contre sa poitrine, renversée comme un nid dans son bras droit replié.

La femme qui gardait, entre ses genoux, un parapluie et un sac de cuir, avait commencé de s'expliquer en balançant légèrement la tête. Elle avait repris tout son aplomb. Elle eut même, dès qu'elle parla de son fils, un air supérieur et mystérieux qui nous intrigua.

193

Elle avait décidé de mettre son aîné, Augustin, en pension chez nous pour qu'il pût suivre le Cours supérieur. Et aussitôt, elle fit l'éloge de ce pensionnaire qu'elle nous amenait.

Ce qu'elle contait de son fils avec admiration était fort surprenant : il aimait à lui faire plaisir et parfois il suivait le bord de la rivière, jambes nues, pendant des kilomètres, pour lui rapporter des œufs de poules d'eau, de canards sauvages, perdus dans les ajoncs. Il tendait aussi des nasses*. L'autre nuit, il avait découvert dans le bois une faisane prise au collet.

Mais ma mère n'écoutait plus. Elle fit même signe à la dame de se taire. Puis, déposant avec précaution son nid sur la table, elle se leva silencieusement comme pour aller surprendre quelqu'un.

Au-dessus de nous, en effet, dans un réduit où s'entassaient les pièces d'artifice noircies du dernier Quatorze Juillet*, un pas inconnu, assuré, allait et venait, ébranlant le plafond, traversait les immenses greniers ténébreux du premier étage, et se perdait enfin vers les chambres abandonnées où l'on mettait sécher le tilleul et mûrir les pommes.

— Déjà, tout à l'heure, j'avais entendu ce bruit dans les chambres du bas, dit maman à mi-voix, et je croyais que c'était toi, François, qui étais rentré.

Personne ne répondit. Nous étions debout tous les trois, le cœur battant, lorsque la porte des greniers qui donnait sur l'escalier de la cuisine s'ouvrit. Quelqu'un descendit les marches, traversa la cuisine et se présenta dans l'entrée obscure de la salle à manger.

— C'est toi, Augustin ? dit la dame.

C'était un grand garçon de dix-sept ans environ. Je ne vis d'abord de lui, dans la nuit tombante, que son chapeau de feutre paysan coiffé en arrière et sa blouse noire, sanglée d'une ceinture comme en portent les écoliers. Je pus distinguer aussi qu'il souriait.

Il m'aperçut et, avant que personne eût pu lui demander aucune explication, dit :

— Viens-tu dans la cour ?

J'hésitai une seconde. Puis, comme maman ne me retenait pas, je pris ma casquette et j'allai vers lui. Nous sortîmes par la porte de la cuisine et nous allâmes au préau*, que l'obscurité envahissait déjà.

— Tiens, dit-il, j'ai trouvé ça dans ton grenier. Tu n'y avais donc jamais regardé ?

Il tenait à la main une petite roue en bois noirci. Un cordon de fusées déchiquetées courait tout autour : ç'avait dû être le soleil ou la lune du dernier feu d'artifice.

— Il y en a deux qui ne sont pas parties, nous allons toujours les allumer, dit-il d'un ton tranquille, de l'air de quelqu'un qui espère bien trouver mieux par la suite.

Il me montra les deux fusées, avec leurs bouts de mèche en papier que la flamme avait coupés, noircis, puis abandonnés. Il planta dans le sable le moyeu* de la roue, tira de sa poche une boîte d'allumettes. Se baissant avec précaution, il mit le feu à la mèche. Puis, me prenant par la main, il m'entraîna vivement en arrière.

Un instant après, ma mère, qui sortait sur le pas de la porte avec la mère de Meaulnes, après avoir débattu et fixé le prix de la pension, vit jaillir sous le préau, avec un bruit de soufflet, deux gerbes d'étoiles rouges et blanches. Elle put m'apercevoir, l'espace d'une seconde, dressé dans la lueur magique, tenant par la main le grand gars nouveau venu, et ne bronchant pas.

Cette fois encore, elle n'osa rien dire.

Et le soir au dîner, il y eut à la table de famille un compagnon silencieux qui mangeait, la tête basse, sans se soucier de nos trois regards fixés sur lui.

D'après ALAIN-FOURNIER
Le Grand Meaulnes

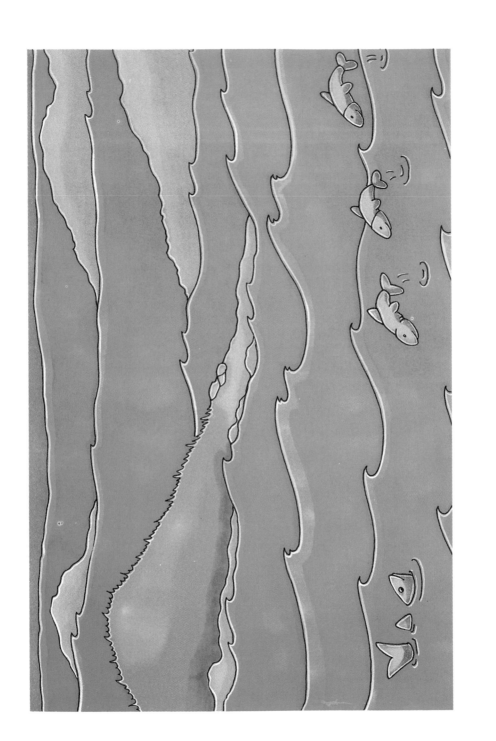

Une page de géographie

La Minganie•

e territoire insulaire, que j'ai appelé Minganie, est une bordure d'îles développée le long de la Côte-Nord, sur une distance d'environ soixante milles. Il y a vingt-deux îles auxquelles il faut ajouter de petits îlots et des récifs qui apparaissent à marée basse.

Aucun lien de parenté, aucun rapport d'origine, aucun trait physique commun notable n'existe d'ailleurs entre la Minganie et la Côte-Nord : la Minganie est fille de l'eau. Les îles qui la composent sont des fragments, des miettes d'une terre ancienne lentement déposée au fond des mers siluriennes•.

Les îles de la Minganie sont formées de calcaires stratifiés.

Quand on arrive par l'ouest, on aperçoit d'abord les îlets Perroquets qui sont dépourvus de bois, mais couverts d'une luxuriante végétation herbeuse. Passé ces îlets, on touche d'abord l'île du Havre (de Mingan), rangée tout près de la terre.

Au large, c'est l'île Mingan, et près de l'embouchure de la rivière Romaine•, l'île Moutange. En continuant vers l'est, se trouvent les deux îles à Bouleaux, couvertes d'épinettes, la Grande Île, puis c'est un chapelet continu : l'île à la Proie, l'île Niapisca, l'île Marteau…

Vers l'est s'échelonnent quelques-uns des plus beaux sites de l'archipel, dont les deux îles à la Vache Marine et l'île Saint-Charles.

Certaines îles, la Grande Île par exemple, sont partiellement recouvertes, près du niveau de la mer, d'un épais manteau de gravier.

Frère MARIE-VICTORIN et Frère Rolland GERMAIN
La Flore de l'Anticosti-Minganie
Les presses de l'Université de Montréal

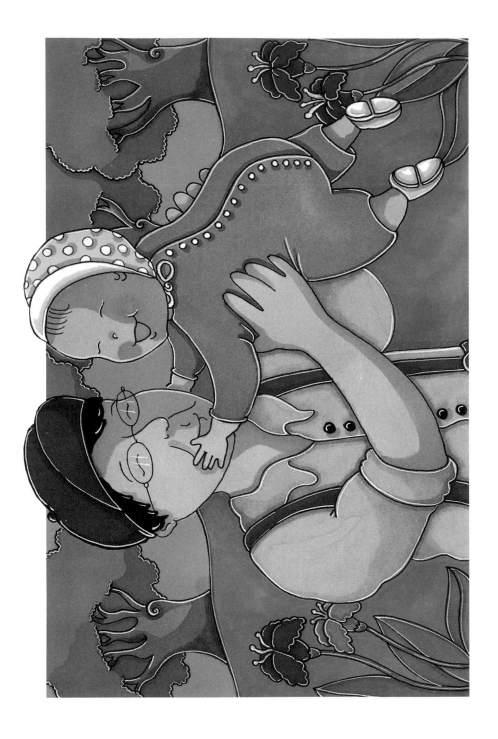

Les mains

es mains sont le paysage du cœur.
Il arrive qu'elles se fendent
de ravins
que creuse une force mal définie.
Ces mains,
l'homme ne les rouvre
qu'une fois recrues* de labeur.
Et il voit :
grâce à lui iront en paix
d'autres hommes.

Karol WOJTYLA
Poèmes
Éditions Cana-Cerf

J'ai tué un arbre

ai tué un saule qui ne m'avait rien fait. Je ne suis pas fière. Il végétait depuis cinq ans et donnait un air souffreteux à la terrasse. Pourtant, il avait des joies sûrement, il fêtait le printemps à sa façon : les bourgeons oubliaient complètement de garnir les branches, mais sortaient joyeusement le long du tronc : ce saule ne voulait pas pleurer.

— Tu ne vas tout de même pas garder ça ? me disait Jean chaque été, comme si j'hébergeais un chien galeux.

J'ai donc pris mon scalpel et mes gants et la décision d'opérer. Une incision, un trou, quelques coups de pioche et j'ai saisi le frêle petit tronc entre mes mains. Les racines claquaient les unes après les autres comme si j'arrachais une dent. Il y tenait à la vie, mon saule ! J'ai eu envie de le scier en petits morceaux pour l'achever d'un coup : la paresse et le respect humain m'ont retenue.

Et il agonise sur le tas d'ordures derrière les bambous au fond du verger. Je ne peux m'empêcher d'aller le voir chaque matin. Quand les bourgeons seront-ils prévenus qu'il s'est passé quelque chose de grave les concernant ? Parmi les détritus, ils continuent à déployer leurs petites feuilles d'un vert émouvant qui m'est un vieux reproche.

J'ai pris la résolution de ne plus jamais tuer un arbre.

Benoîte et Flora GROULT
Le Féminin pluriel
Éditions Denoël

Le sentier des merles bleus

À travers les branches, nous apercevions la clairière à l'emplacement du chemin de fer.

J'ai murmuré :

— Voilà longtemps qu'on n'entend plus siffler les trains dans la région. D'ailleurs, d'après ce qu'on raconte à la télé et dans les journaux, ce n'est pas demain qu'on les remettra sur les rails.

— Heureusement !

Décidément, elle était bien la seule dans le pays à penser comme ça.

— Pourquoi ?

— À cause des merles bleus.

— Des merles bleus ?

Je débarquais. Ainsi, elle se promenait chaque matin dans la nature, à l'heure où les honnêtes gens dorment encore, uniquement pour photographier des bibites à plumes ! Ça tournait à l'obsession !

Semblerait que ces petites bestioles prennent leur déjeuner très tôt et que c'est à ce moment qu'on a le plus de chance de leur tirer le portrait.

— Tu n'as jamais entendu parler du merle bleu ? m'a demandé Martine.

J'ai haussé les épaules.

En fixant l'appareil photo au trépied*, elle m'a appris, à mi-voix, que le merle bleu à poitrine rousse était, voilà quelques décennies, un oiseau nicheur assez répandu au Québec :

— Il y a quelques années, il avait presque complètement disparu parce qu'on coupait les vieux arbres qu'il aimait pour cultiver la terre, et aussi parce qu'il était en compétition avec d'autres oiseaux plus agressifs, qui lui disputaient son nid. Mais aujourd'hui, c'est différent.

— Pourquoi ?

— De plus en plus de gens installent des nichoirs comme ceux-là. Au printemps, quand j'ai découvert cet endroit, j'étais folle de joie ! C'est l'endroit idéal pour établir un sentier de merles bleus. J'ai fabriqué quelques cabanes. Et j'ai eu de la chance. Des visiteurs sont venus. Malheureusement, je n'ai pas encore réussi à les photographier. Mais ce matin, je sens que ça va y être.

Appuyée contre un arbre, elle s'est mise aux aguets*. Je la sentais tendue comme Spaghette, le chat de Gino, lorsqu'il guette sa proie. Et l'attente a commencé. Les minutes s'égrenaient. Cinq… Dix… Quinze… Je ne sais trop.

Puis il y eut plusieurs déclics, suivis d'un bruissement d'ailes.

Martine triomphait.

— Je le savais ! Je le savais ! Mon père a bien raison. Il faut être réceptif. Se fier à son intuition. Alors on réussit.

— C'est un point de vue. Il faudra que j'essaie ça à mon prochain examen de maths !

Elle a haussé les épaules dédaigneusement :

— Tu as vu ? Tu as vu ? m'a-t-elle demandé en m'attrapant par les épaules.

— Oui, oui.

En vérité, j'avais juste eu le temps d'apercevoir une boule de plumes bleues et rousses qui plongeait dans les branches de pin.

— C'était un mâle. J'ai hâte à dimanche pour développer mes photos. Je suis sûre que mon père va capoter!

J'ai sursauté. Elle avait bien dit: un mâle. Comment pouvait-elle parler avec autant d'assurance du sexe de cet oiseau?

— Comment sais-tu que c'était un mâle?

— À cause de la couleur du plumage, évidemment.

— Parce que les femelles ne sont pas bleues? Roses peut-être? Bleu pour le mâle, rose pour la femelle. Comme pour les bébés.

— Chez les oiseaux, le plumage des mâles est le plus souvent de couleurs plus éclatantes.

Ensuite, nous avons arpenté* son sentier de merles bleus. Martine en est très fière. Même s'il n'est constitué que de quelques nichoirs.

— Je compte en installer d'autres à l'automne. Tu sais, certaines pistes s'étendent sur plusieurs kilomètres. Entre le Manitoba et l'Alberta, il y en aurait une qui s'étirerait sur trois mille cinq cents kilomètres.

Maintenant que la saison de nidification est terminée, il va falloir enlever les vieux nids et nettoyer les nichoirs.

J'ai promis à Martine de l'aider.

Marie-Andrée BOUCHER-MATIVAT
Drôle de moineau
Éditions Héritage

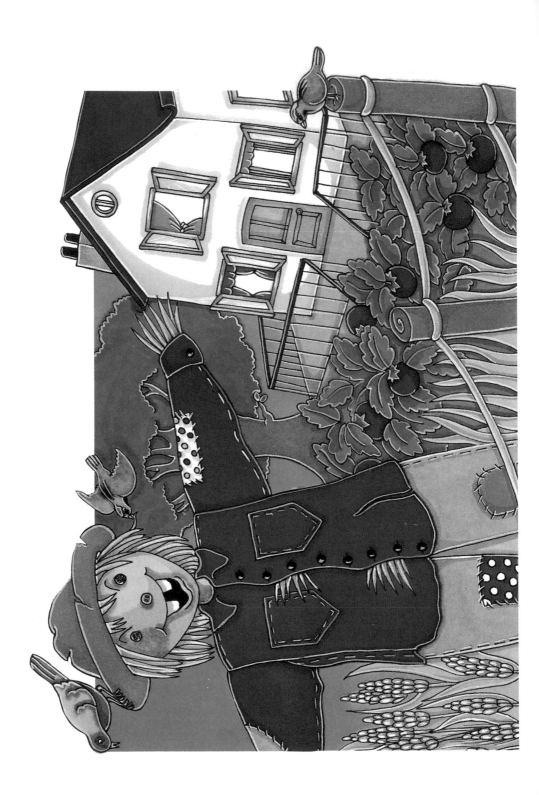

L'épouvantail

e plus grand bonheur de mes frères était de faire et d'habiller le surveillant du jardin, le menaçant homme de paille qui devait défendre les semences et les fruits. Ma mère en avait livré les principaux matériaux : vieux pantalons, chapeau, blouse.

Mon père n'y contredisait pas. Il prohibait* la chasse mais nullement la défense légitime contre les petits maraudeurs. Ceux-ci n'avaient crainte ni honte : ils savaient parfaitement que le gros fusil de mon père reposait dans son alcôve*, à demi rouillé ; que la maison et l'enclos étaient le pays de la paix. Ils en usaient, en abusaient : les arbres étaient pleins de nids.

Donc, on plantait le gardien. Sur deux bonnes jambes nourries de grosse paille, il campait fièrement. De cervelle, il n'en avait guère. Le foin de la prairie, broyé, assoupli, meublait sa pauvre tête. Pour les bras, on pouvait les mouvoir, les diriger, les ramener sur eux-mêmes, mettre l'homme au repos, appuyé sur sa bêche : c'était la pose favorite de Jean, notre jardinier. Le cou maigre, un peu désarticulé*, rendait la tête branlante au moindre vent. Et si le vent soufflait au visage, la pose devenait dramatique.

Quand le terrible gardien était posé de manière à produire les plus grands effets, on se cachait pour observer ce qu'allaient faire les oiseaux. Ils n'avaient garde d'approcher : ils observaient, se tenaient à distance le reste du jour.

Le rouge-gorge est, de tous les oiseaux, avec le merle, le premier levé. Le jour point* à peine qu'il chante déjà la lumière. Il n'avait que faire des semences, n'y touchait pas. Mais toute nouveauté l'inquiétait. Le mannequin l'intriguait. Sautant de branche en branche, il arrivait tout près, tirait ses révérences. Dans le calme du matin, notre homme immobile semblait plutôt pacifique. Le visage seul restait farouche. Le rouge-gorge, curieux autant que brave, quittait son observatoire, piquait droit sur l'ennemi, se plantait sur sa tête. Quelle humiliation pour le bonhomme !

Mon père, aussi tôt levé que le rouge-gorge, assistait à la scène. Les moineaux demi-éveillés voyaient aussi la chose du haut de la tour, jugeaient la situation, s'enhardissaient. Le plus pressé par la faim matinale se risquait, prenait au vol un charançon.

Voilà les autres bien près d'être rassurés.

Avant la fin du jour, tous avaient ri du fantôme ! Le moineau audacieux, intelligent, n'est pas sans voir que la perruque ferait pour le nid un excellent sommier. Là-dessus de tirer, de l'arracher vaillamment.

Un autre couple fit mieux : il avisa la bouche, entra dedans, se tourna et retourna, trouva la place bonne, y resta. Sans nos curiosités indiscrètes, toute une famille y naissait. Mon père riait, nous aussi, bien qu'un peu décontenancés* de voir rouge-gorge et moineaux nous braver, nous, les jeunes maîtres des champs.

D'après madame Jules MICHELET
Mémoires d'une enfant

212

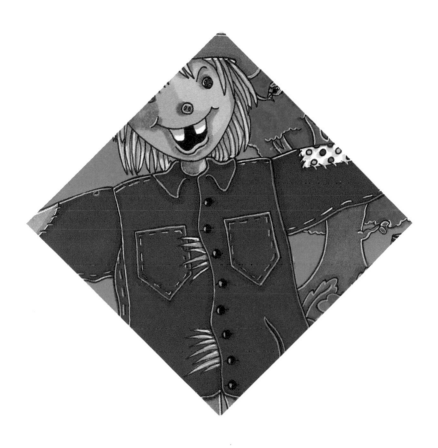

Une page de zoologie

Le porc-épic

e porc-épic est un rongeur. C'est du reste le plus robuste, après le castor, de tous les rongeurs d'Amérique du Nord.

Il y a quelques semaines, j'ai découvert dans la forêt un crâne intact de porc-épic. Ce qui frappe dans cette partie de squelette, ce sont les quatre grandes incisives de couleur orange, bien aiguisées. Ces couteaux, comme les dents du castor, poussent continuellement et ont par conséquent besoin d'être affûtés•. L'animal s'en charge lui-même en rongeant. En rongeant quoi ? Des herbes, des fleurs ; des brindilles, des feuilles, des branches en été et, en hiver, l'écorce interne des arbres.

Ce qui m'amène à vous révéler une des curiosités de sa vie. Quand il se déplace sur la terre ferme, le porc-épic est lent, un peu balourd•, sans grâce. Monte-t-il dans un arbre, le voilà métamorphosé en trapéziste. Ses pattes, munies de coussins plantaires, portent de longues griffes noires, un peu comme celles des ours. Avec ces griffes, l'animal peut grimper, s'agripper, saisir, se retenir. On voit souvent des porcs-épics, bien calés dans la fourche d'un arbre, tirer à eux les branches les plus éloignées pour en ronger les feuilles. Assuré de trois appuis, l'animal se permettra toutes les acrobaties.

Il est faux par contre de croire qu'il peut se pendre par la queue. Le porc-épic ne sera jamais un singe, bien que, comme lui et comme l'écureuil, par exemple, autre célèbre arboricole*, il ne se sente vraiment à l'aise que dans les arbres. Au reste il n'est pas rare de le voir, en plein hiver, demeurer dans un seul arbre, un conifère de préférence, durant plus d'une semaine, défiant le froid et la tempête, rongeant l'écorce à partir de la cime.

De cela on leur tient parfois rigueur, mais c'est quand même leur appétit immodéré pour le sel qui leur vaut la haine tenace des forestiers*. Grâce à leur odorat, qui est d'un grand raffinement et dont on commence à peine à mesurer l'importance, ils dénicheront n'importe où dans leur territoire tout objet imprégné de sel.

Et comme la sueur des humains contient du sel, les porcs-épics feront leurs délices des gants, chapeaux et bottes de cuir, des avirons et des rames, des crosses de fusil, manches de hache, rampes d'escalier et bancs de toilette.

Dans le manque, ils s'abandonneront à un autre de leurs vices: une forte attirance pour la colle contenue dans le contre-plaqué. Voilà pourquoi on voit souvent en forêt des écriteaux à demi rongés par les porcs-épics. À tel point qu'il y a quelques années, aux États-Unis, on a mis au point un contre-plaqué contenant de la colle répulsive*.

Pierre MORENCY
L'Œil américain
Éditions du Boréal

La reine Christine à six ans

Christine fut reine de Suède de 1632 à 1654.

 ne tapisserie se soulève, Christine s'avance avec ses petits pieds et son cotillon de velours noir. Sa Majesté a six ans, elle fait ses débuts de reine. On voudrait embrasser ses joues rondes.

— J'étais bien jeune, dit-elle plus tard, mais mon air et mon maintien étaient tels qu'ils inspiraient à tous frayeur et respect.

Pompeusement, le Maréchal l'accompagne. En passant devant Lasson*, il s'arrête et présente la princesse au bonhomme incrédule. Celui-ci, avec une lenteur paysanne, l'examine comme s'il reluquait un jeune veau. Christine s'y prête. Après en avoir fait le tour, allègrement il s'écrie :
— Voilà le nez, les yeux d'acier qui lançaient des éclairs, et le front du roi Gustave ! Hurrah !* Qu'elle soit notre reine !

Aussitôt une clameur répond à son enthousiasme. Les députés jurent qu'ils n'auront d'autre roi que Christine. Les officiers se précipitent, réclament la faveur de l'asseoir sous le dais*.

Sans être intimidée le moins du monde, elle donne sa petite main à baiser, avec une gentillesse et un sérieux qui surprennent ces vieillards dont les rubans sanglent les poitrines orgueilleuses.

Huchée* sur le fauteuil incarnat, ses petits souliers à bouffettes* ne touchant pas terre, elle cherche son équilibre tandis que les sénateurs prêtent serment.

— Nous promettons, avec tous les sujets du royaume, d'être fidèles à votre Majesté, de lui rendre service et obéissance en tout ce qu'elle voudra nous commander.

Christine aime cette formule et dodeline* de la tête.

— Qu'elle est sage ! Qu'elle est majestueuse ! chuchotent les assistants.

Ces cajoleries, ces flatteries, qu'elle entendait pour la première fois, lui plurent. Elle croyait naïvement qu'un enfant qui naît pour le trône est un bien universel dont dépendent la gloire de l'État et la félicité des particuliers.

Elle disait plus tard que la vanité approche les princes jusque dans leur berceau, où ils sont craints et traités comme de petits lions qui égratignent toujours, mais ne dévorent pas encore.

On lui apprenait que ses sujets devaient payer de leur vie un de ses caprices. Ainsi commençait son éducation de reine, tandis que sa mère faisait le triste apprentissage de la solitude.

D'après la princesse Lucien MURAT
La Reine Christine de Suède

Poucet, les corneilles et la cruche de terre

n après-midi de printemps, les corneilles, ayant fini d'installer leurs nids, firent une découverte étrange. La Rafale, la Bourrasque et deux autres corneilles étaient descendues au fond d'un grand trou.

Tout à coup, une avalanche de gravier se détacha et roula sur elles. Parmi les pierres écroulées, elles trouvèrent une grande cruche de terre fermée d'un couvercle de bois. Elles essayèrent vainement d'ouvrir le couvercle ou de casser la cruche.

— Voulez-vous que je vous aide, corneilles?

Elles levèrent la tête. Du bord du trou, un renard les regardait. Il se mit à mordre la cruche et à tirer le couvercle pour l'arracher, mais il ne réussit pas à l'ouvrir.

— Je sais bien qui pourrait vous ouvrir la cruche, prononça-t-il enfin.

— Dis-nous son nom! Dis-le! criaient les corneilles.

— Je ne vous le dirai pas, à moins que vous n'acceptiez mes conditions, leur fut-il répondu.

Le renard parla alors aux corneilles de Poucet, affirmant qu'il serait capable d'ouvrir la cruche si elles pouvaient le faire venir. En échange de son bon conseil, les corneilles devaient lui livrer Poucet.

La Rafale se mit en route lui-même, accompagné de cinquante corneilles. Il promit d'être bientôt de retour ; mais les journées passèrent sans qu'on le vît revenir.

Les oies sauvages s'étaient réveillées dès l'aube pour manger un peu avant de reprendre leur voyage. L'endroit où elles avaient dormi était nu mais, dans l'eau, il y avait assez de plantes pour les rassasier. Poucet était moins heureux : il avait beau chercher, il ne pouvait rien découvrir de mangeable. Il avançait péniblement entre des herbes qui lui allaient jusqu'au menton lorsque, tout à coup, il se sentit saisir par derrière.

Une corneille l'avait attrapé par le col de sa chemise. Le gamin donnait des coups de pied, frappait, mais les corneilles ne lâchèrent point prise et réussirent à s'élever en l'air avec lui.

Tout à coup, l'une d'elles frappa brusquement l'air de ses ailes en signe de péril. Elles descendirent vite sur une forêt de sapins, s'enfoncèrent entre les branches enchevêtrées et déposèrent enfin Poucet par terre, sous un arbre touffu. À ce moment, il entendit au-dessus de sa tête le cri d'appel des oies sauvages.

Les oies sauvages ne pouvaient savoir qu'il était si près d'elles. Après deux ou trois appels, leurs cris se perdirent au loin. Au bout d'un instant, les corneilles songèrent à se remettre en route. Le gamin s'écria :

— Il n'y a donc parmi vous personne d'assez fort pour me prendre sur son dos ?

— Si tu crois que nous nous soucions de ta commodité, tu te trompes, dit le chef.

Mais, à ce moment, Fumle-Drumle, un gros lourdaud hérissé, avec une plume blanche à l'aile, sortit du groupe et dit :

— N'est-il pas préférable, la Rafale, que Poucet arrive à destination sans mal ? J'essaierai de le prendre sur mon dos.

Il faisait encore grand jour lorsque les corneilles atteignirent leur pays. Alors Fumle-Drumle dit à Poucet :

— Tu as été si courageux pendant ce voyage que je t'aime bien. Aussi te donnerai-je un conseil : dès que nous arriverons, on te priera d'exécuter un travail qui te sera peut-être facile. Mais n'aie garde de le faire !

Quelques minutes plus tard, Fumle-Drumle déposa Poucet au fond du grand trou.

— Ouvre la cruche ! cria la Rafale en le secouant.
Le gamin se leva et examina la cruche.

— Comment moi, pauvre enfant, pourrais-je ouvrir une cruche pareille ? dit-il. Elle est plus grande que moi.

Mais la Rafale était impatient : il s'élança sur le gamin et lui donna un coup de bec à la jambe. Alors le gamin tira son couteau et le tint droit devant lui.

— Prends garde ! cria-t-il à la Rafale.

Celui-ci était si aveuglé par la colère qu'il ne fit point attention au couteau. Il se jeta sur la pointe. Poucet retira rapidement son arme, mais la Rafale battit des ailes et tomba mort. Poucet comprit le danger et regarda désespérément autour de lui pour trouver un refuge. Il lui paraissait impossible d'échapper aux corneilles lorsque, tout à coup, il aperçut la cruche. Il saisit violemment le couvercle, le releva et sauta dans la cruche pour s'y cacher.

Elle était remplie jusqu'au bord de petites pièces d'argent. Pas moyen de s'y enfoncer ! Poucet se baissa et se mit à jeter l'argent. Les corneilles oublièrent leur soif de vengeance pour ramasser les petites pièces. Le gamin lançait l'argent par poignées et toutes les corneilles se battaient pour les attraper.

Poucet n'osa lever la tête que lorsqu'il eut jeté toutes les pièces d'argent : il n'y avait plus dans le trou qu'une seule corneille. C'était Fumle-Drumle, avec sa plume blanche à l'aile.

— Grimpe sur mon dos, petit Poucet, lui dit-il. Je te conduirai dans une cachette où tu passeras la nuit. Demain, je m'arrangerai pour te ramener parmi les oies sauvages.

Selma LAGERLÖF
Le merveilleux voyage de Nils Holgersson

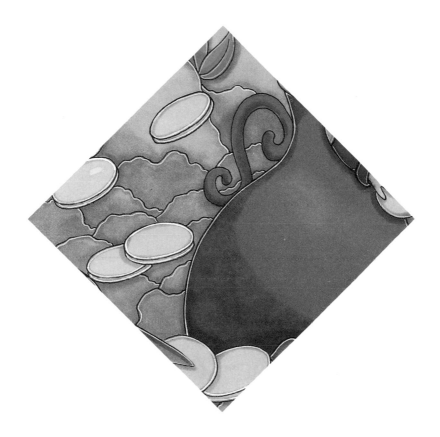

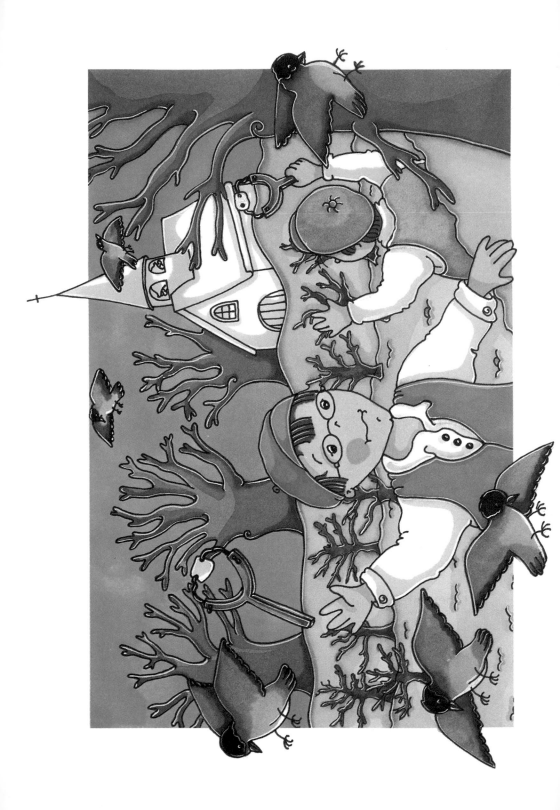

La voix du ciel

Le docteur Albert Schweitzer, « le grand Docteur blanc », consacra sa vie au soin des malades en Afrique. Il raconte ici un souvenir d'enfance.

enri Brœsch et moi, nous nous étions fabriqué des frondes en caoutchouc. Un matin de printemps, un des dimanches de la Passion*, il me dit :

— Viens ! Allons dans les vignes tirer les oiseaux.

Bien que cette proposition me fasse horreur, je n'ose le contredire, de peur de ses railleries. Nous arrivons près d'un arbre encore sans feuilles et tout peuplé d'oiseaux qui, sans nous redouter, chantent gaiement dans le matin clair. Se baissant comme un Indien en chasse, Brœsch ajuste un caillou dans sa fronde et bande les cordons.

Obéissant à son regard dominateur, j'en fais autant, la conscience torturée, me promettant bien de manquer le but. Au même instant, les cloches de l'église résonnent, mêlant dans le ciel radieux leur harmonie au gazouillis des oiseaux. C'était la première sonnerie, précédant d'une demi-heure la principale.

Pour moi, ce fut comme si le ciel me parlait. Je jette là ma fronde, j'effarouche les oiseaux pour les mettre à l'abri de l'arme de Brœsch, et je cours à toutes jambes à la maison.

229

Toutes les fois que les cloches de la Passion retentissent dans le ciel printanier, où les arbres dressent leurs branches dénudées, je pense avec une émotion reconnaissante au commandement que me rappela jadis leur voix grave : « Tu ne tueras point ».

Marianne MONESTIER
Le Grand Docteur blanc
Éditions de la Table ronde

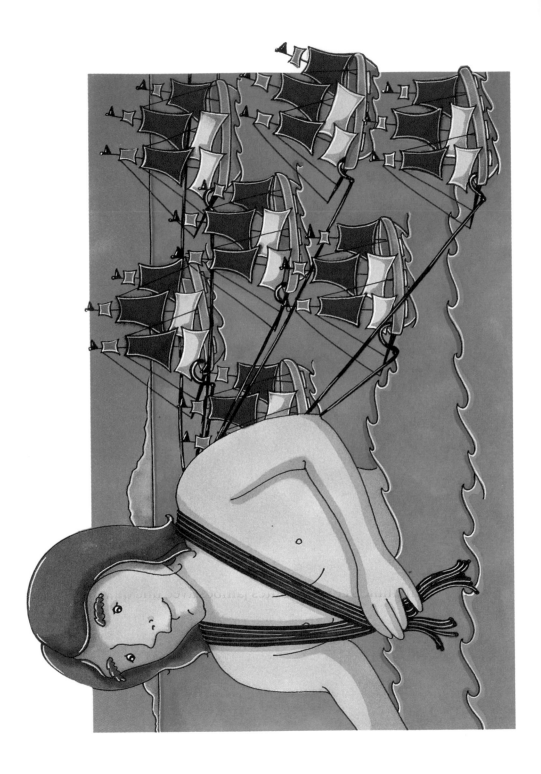

Gulliver à Lilliput

e navire venait de se briser contre un récif. Au milieu des vagues déchaînées, j'eus la chance de pouvoir saisir une poutre*, je m'y accrochai et j'y demeurai à califourchon pendant toute la nuit. Vers quatre heures du matin, la tempête se calma enfin et les vagues me poussèrent vers une petite île où j'abordai, épuisé de fatigue. Je me laissai tomber sur l'herbe et je m'endormis profondément.

Quand je m'éveillai, le soleil était déjà haut dans le ciel. J'avais dormi sur le dos, et quand je voulus me lever, je m'aperçus avec stupéfaction que mon corps était fixé au sol par un nombre incroyable de ligatures* très fines attachées à des pieux. Et autour de moi j'entendais une rumeur confuse. Soudain, je sentis quelque chose qui remuait sur ma jambe gauche, et cette chose, avançant doucement sur ma poitrine, arriva jusqu'à mon menton.

C'était un homme, pas plus haut qu'un écureuil! Il avait un arc et des flèches. Dans ma surprise, je poussai un tel cri que le petit bonhomme s'enfuit à toutes jambes avec une quarantaine de camarades qui, eux, s'étaient prudemment tenus à distance. Et voilà que de loin, ils me décochent une pluie de flèches qui me piquent le visage et les mains comme des aiguilles.

Il y avait maintenant autour de mon corps des milliers de petits êtres qui me regardaient avec curiosité et frayeur, tandis qu'une centaine de menuisiers élevaient en hâte, tout près de mon visage, une tribune haute de trente centimètres.

Alors, ayant réussi à libérer ma main droite, je touchai ma bouche à plusieurs reprises pour leur faire comprendre que je mourais de faim. Une centaine d'hommes me vidèrent dans la bouche douze paniers de viande. Ils me versèrent dans le gosier trois grands tonneaux de vin ; je les bus d'un seul trait et aussitôt, chose bizarre, je me sentis une insurmontable envie de dormir.

J'ai su plus tard qu'ils y avaient mêlé un puissant narcotique*. Pendant mon sommeil, ils firent construire par cinq mille spécialistes un chariot à vingt-deux roues pour me transporter jusqu'à la capitale. Après une journée de voyage, ils m'amenèrent à un ancien temple désaffecté* qui était le plus long et le plus haut bâtiment du royaume.

Les serruriers attachèrent ma jambe gauche à l'un des quatre murs au moyen de quatre-vingt-onze chaînes, semblables à des chaînes de montres et munies de trente-six cadenas. Ils coupèrent mes autres liens et je pus enfin me mettre debout, aux cris d'admiration d'une foule de cent mille personnes.

Dès lors, chaque matin, on me fit livrer pour ma nourriture sept bœufs, quarante moutons, une vingtaine de pains et deux tonneaux de vin. On nomma six cents personnes pour me servir et huit professeurs chargés de m'enseigner la langue du pays. Au bout de trois semaines, je parlais assez bien et comprenais à peu près tout ce qu'on me disait.

Un jour que le roi était venu me voir, je lui demandai de me rendre ma liberté.

— Encore un peu de patience, mon cher ami.

— Je crois en avoir montré suffisamment !

— Continuez à gagner par la douceur l'estime de mon peuple et bientôt vous serez libre.

Enfin, la semaine suivante, je fus libre. Après tant de jours de détention, je profitai avec joie de ma liberté. Pendant plus d'un mois, je vécus une existence heureuse et sans souci. Mais un après-midi, je reçus la visite du secrétaire d'État.

— Ainsi donc, mon grand ami, vous voici en liberté, bravo! Bravo! Maintenant, le moment est venu pour vous de rendre service à notre pays. Actuellement, les gens de Bléfiscu arment une flotte redoutable et se préparent à effectuer un débarquement sur nos côtes. Pouvez-vous les en empêcher?

Je calculai que Bléfiscu était séparé de Lilliput par un détroit large de huit cents mètres; quant à la profondeur de l'eau, elle était partout d'un mètre cinquante, sauf sur un court passage où elle n'atteignait pas tout à fait deux mètres. J'allai me coucher derrière une colline sur la côte, face à l'ennemi; je tirai de ma poche une lorgnette marine et je vis fort bien la flotte de Bléfiscu qui était à l'ancre.

Il y avait une cinquantaine de vaisseaux de guerre et un grand nombre de bateaux de transport. Je revins à Lilliput et je donnai l'ordre de fabriquer une grande quantité de câbles et de barres de fer que je tordis en forme de crochets. Je retournai sur la côte, j'ôtai mon justaucorps*, mes souliers et mes bas, puis j'entrai dans la mer.

Je marchai d'abord dans l'eau puis je parcourus environ trente mètres à la nage, jusqu'à l'endroit où je pouvais reprendre pied. J'arrivai près de la flotte ennemie en moins d'une demi-heure. À ma vue, les matelots eurent si peur qu'ils sautèrent comme des grenouilles et s'enfuirent en hurlant.

Ils revinrent sur le port pour me lancer une grêle de flèches, dont un grand nombre m'atteignit au visage et aux mains. Craignant pour mes yeux, je mis mes lunettes et, après avoir placé tous les crochets, je commençai à tirer. Mais ces navires étaient à l'ancre ; alors je pris mon couteau et je coupai les câbles qui les retenaient. C'est ainsi que je pus entraîner cinquante des plus gros navires.

Je retirai les flèches plantées dans mon visage et sur mes mains et je regagnai Lilliput, en traînant toute la flotte derrière moi.

D'après Jonathan SWIFT
Les Voyages de Gulliver

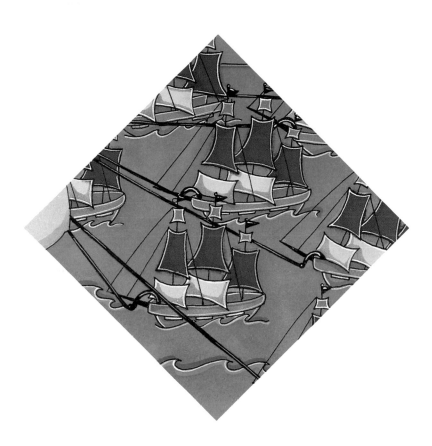

Le respect des arbres

uand nous eûmes enterré une trentaine de plants, nous commençâmes à avoir chaud et à sentir un peu de courbature.

— Dis donc, ça t'amuse, toi? me demanda Herbillon en s'essuyant les tempes.

— Moi? Non. Je suis fourbu.

— Moi, je meurs de soif et il n'y a rien à boire.

— Ça crie vengeance, reprit Herbillon. Sais-tu? Il faut lui jouer un tour. Plantons-lui ses sapins la tête en bas. Ce sera une bonne farce.

L'invention me parut admirable. Nous enterrâmes donc, sans le moindre scrupule, les sapins, la tige en bas et la racine en l'air; et le plaisir que nous eûmes à exécuter ce méchant tour nous fit oublier notre fatigue. Nous entendîmes quatre heures sonner au lointain clocher du village et nous allâmes rejoindre monsieur Dordelu à l'extrémité opposée du terrain.

— Il est quatre heures, m'sieu, insinua* Herbillon.

— Ha! Ha! Tout est-il planté?

— Presque tout, m'sieu, mais il est l'heure de rentrer chez nous.

Dordelu se retourna vers la plantation, mit sa main en abat-jour sur ses yeux et étudia le terrain. Heureusement, il était myope; il vit vaguement des rangées d'arbustes alignés.

— Allons, fit-il, vous avez bien travaillé ; vous pouvez partir.

Nous décampâmes lestement.

Le lendemain, Dordelu nous traîna rageusement en face de la plantation. Sur la friche* grise, deux cents sapins faisaient piteuse mine avec leurs racines en l'air, au chevelu* desquelles pendaient encore des fragments de terre sèche.

— Voici votre œuvre, bandits, s'écria Dordelu. Savez-vous ce que c'est qu'un arbre ? C'est un être vivant, comme vous et moi. C'est la joie de la terre à laquelle il donne l'eau des sources qui l'arrosent et l'humus* qui la féconde ; c'est la santé de l'air que sa verdure purifie. Un bel arbre, c'est une fête pour les yeux, et des milliers, cela fait la forêt, le manteau de la terre. Dans vingt ans, ces deux cents jeunes plants que vous avez assassinés seraient grands et beaux. Et pour satisfaire une espièglerie d'écoliers, vous avez supprimé* deux cents arbres, vous avez deux cents meurtres sur la conscience ! Songez-y. Ce sera votre punition ; maintenant, allez.

Depuis lors, j'ai eu le respect des arbres.

André THEURIET
Contes pour les jeunes et les vieux

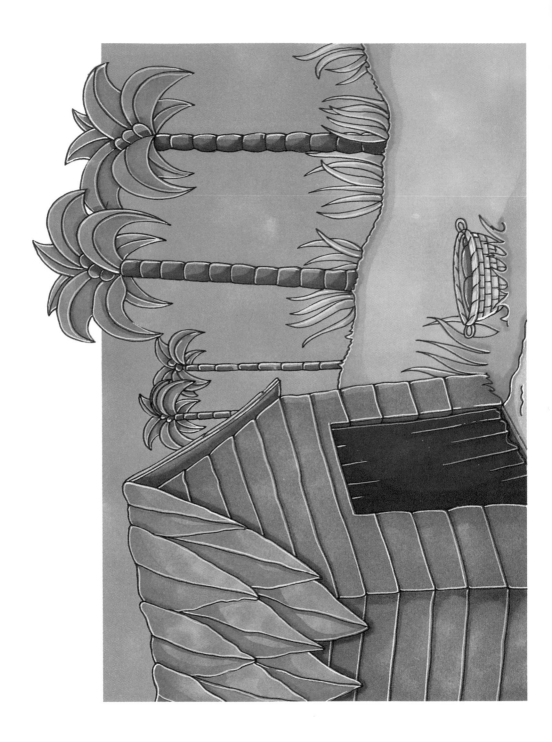

Une page de biologie

Un palmier appelé arec

e qui me frappe particulièrement, à première vue, ce sont les palmiers avec leurs troncs droits, lisses, vernis comme des « manches de lignes », dirait Arthur Buies*, et leurs longues feuilles en parasol, au sommet seulement.

On sait que les palmiers se rangent parmi les monocotylédones, dont les céréales, blé, avoine, maïs, font aussi partie. Les espèces de palmiers sont très nombreuses. Les Antilles en possèdent, assure-t-on, dix-huit différentes.

L'arec, ou chou palmiste, est un arbre des plus élevés, des plus élégants. Il possède la plus belle apparence de toute sa famille. Il a une majesté réellement royale. D'un diamètre atteignant rarement deux pieds*, il s'élève jusqu'à quatre-vingts, cent et même cent vingt pieds. Il ne porte de feuilles qu'à son sommet, comme la plupart des arbres de sa famille. Son stipe (ou tige) est, dans le jeune âge, renflé en bulbe vers le bas. En croissant, il perd cette apparence bulbiforme, le reste du stipe prenant peu à peu le diamètre du bulbe primitif.

Si le fruit de l'arec n'est pas comestible, l'énorme bourgeon qui doit le produire est, par contre, très recherché. On le mange en salade, cru à la manière d'un artichaut ou cuit comme les choux.

Le bois qui, avec l'âge, prend la couleur et la dureté de l'ébène*, est creusé en tuyaux, taillé en planches, en poteaux. Ses feuilles servent à confectionner le toit des cases* des habitants de la campagne.

D'après Léon PROVANCHER
Une excursion aux climats tropicaux

Autoportrait

Durant la guerre, Anne et sa famille, qui sont d'origine juive, doivent se cacher pour ne pas être dénoncées à la police allemande. Dans son journal, elle compare l'enfant qu'elle était à l'adolescente qu'elle est devenue.

a réputation à l'école? La voici: toujours la première à plaisanter et à faire des farces, l'éternel boute-en-train, jamais pleurnicheuse ni boudeuse. Pour me faire accompagner à bicyclette, ou être l'objet d'une attention quelconque, je n'avais qu'à lever le petit doigt.

Anne, l'écolière d'alors, je la vois avec le recul du temps comme une fillette charmante, mais très superficielle, n'ayant plus rien de commun avec moi. Peter, très à propos, a dit de moi:

— Chaque fois que je te voyais, tu étais encadrée de deux garçons ou plus, et d'une bande de filles. Tu riais toujours et tu étais toujours le centre de la bande.

Qu'en reste-t-il, de cette fillette? Je n'ai pas désappris le rire ni les réparties*, et je ne me lasse pas de critiquer les gens aussi bien qu'autrefois, peut-être mieux même; je suis encore capable d'être flirt, si... je veux. Voilà le hic*, j'aimerais encore, l'espace d'une soirée, quelques jours ou une semaine, être celle de jadis, gaie, apparemment insouciante. Mais au bout d'une semaine, j'en aurais par-dessus la tête et je verrais avec reconnaissance le premier venu capable de parler de quelque chose qui en vaille la peine. Je n'ai plus besoin d'adorateurs ou d'admirateurs, séduits par un sourire flatteur, mais bien d'amis, séduits par mon caractère et ma façon d'agir. Je me rends compte que ces exigences réduiraient de beaucoup mon cercle d'intimes, mais qu'est-ce que ça peut faire — pourvu que je garde quelques personnes sincères autour de moi.

En dépit de tout, mon bonheur en 1942 n'était pas plus intact*. Souvent je me sentais abandonnée. Mais remuer du matin au soir m'empêchait de trop y penser, et je m'amusais tant que je pouvais. Consciemment ou inconsciemment, je tentais d'ignorer le vide que je ressentais en m'amusant ainsi. Alors que, maintenant, je regarde les choses en face et je travaille. Cette période de ma vie est close, irrévocablement* close. Les années d'école, leur tranquillité et leur insouciance, ne me reviendront jamais.

Je les ai dépassées et je ne les désire plus ; je ne pourrais plus songer uniquement au plaisir ; une petite partie de moi demandera toujours à être grave.

Anne Frank
Journal d'Anne Frank
Éditions Calmann-Lévy

La vie de château

La vie de château était-elle tellement différente de la nôtre, même à l'époque où vivait René de Chateaubriand? L'écrivain décrit la vie quotidienne qu'on menait, il y a plus de deux cents ans, dans sa propre famille, à l'intérieur du manoir de Combourg.

on père se levait à quatre heures du matin, hiver comme été: il venait dans la cour intérieure appeler et éveiller son valet de chambre, à l'entrée de l'escalier de la tourelle.

On lui apportait un peu de café à cinq heures; il travaillait ensuite dans son cabinet jusqu'à midi.

Ma mère et ma sœur déjeunaient chacune dans leur chambre, à huit heures du matin. Je n'avais aucune heure fixe, ni pour me lever, ni pour déjeuner. J'étais censé étudier jusqu'à midi; la plupart du temps, je ne faisais rien.

À onze heures et demie, on sonnait le dîner que l'on servait à midi. La grand-salle était à la fois salle à manger et salon; l'on dînait et l'on soupait à l'une de ses extrémités, du côté de l'est. Après les repas, on venait se placer à l'autre extrémité, du côté de l'ouest, devant une énorme cheminée.

Le dîner fait, on restait ensemble jusqu'à deux heures. Alors si, l'été, mon père prenait le divertissement de la pêche, visitait ses potagers, se promenait dans l'étendue du vol du chapon* ; si, l'automne et l'hiver, il partait pour la chasse, ma mère se retirait dans la chapelle, où elle passait quelques heures en prière. Cette chapelle était un oratoire sombre, embelli de bons tableaux des plus grands maîtres, qu'on ne s'attendait guère à trouver au fond de la Bretagne.

Mon père parti et ma mère en prière, Lucile s'enfermait dans sa chambre ; je regagnais ma cellule ou j'allais courir les champs.

À huit heures, la cloche annonçait le souper. Après le souper, dans les beaux jours, on s'asseyait sur le perron. Mon père, armé de son fusil, tirait les chouettes qui sortaient des créneaux à l'entrée de la nuit. Ma mère, Lucile et moi, nous regardions le ciel, les bois, les derniers rayons du soleil, les premières étoiles. À dix heures, on rentrait et l'on se couchait.

François René de CHATEAUBRIAND
Mémoires d'outre-tombe

* *l'étendue du vol du chapon* : le territoire où circule ce jeune coq

La mort de Zoulou

out à coup, le cri de l'antique petite locomotive retentit et nous partîmes en courant, Toto et moi, pour voir passer le *char*·. Il passa, Zoulou bondit en jappant, essayant de l'attraper. Toto cria :

— Il va se faire écraser. Zoulou ! Zoulou !

Mais Zoulou n'entendait rien. Pour franchir un petit pont avant le train, il sauta sur les rails. Et quand le train fut à son tour passé, nous vîmes une forme jaune étendue sur la voie.

Ce fut un cri de terreur. Les jeunes filles accoururent et bientôt nous étions près de la pauvre chère bête qui respirait encore, la tête sanglante, les yeux fermés. Des sanglots nous étouffaient. Nous étions désespérés devant cette mort inattendue.

Les jeunes filles essayaient de nous consoler. Nous formions un cercle autour de la bête. Une grande·· alla chercher de l'eau et mouilla la tête du chien ; peu après il ne respirait plus.

Il fallut partir, le laisser là, sans vie ! Mon cœur de petite fille se révoltait. Quoi ! Il ne marcherait plus, il ne reviendrait plus, on ne l'aurait plus, notre cher Zoulou. Il était mort, mort. Mais pourquoi ? Nous étions venues là pour nous amuser, rire, chanter ; le soleil était encore si beau, et les marguerites fleurissaient avec les boutons d'or.

Mais Zoulou, c'était notre ami. Il nous laissait dormir des heures la tête sur son corps, il ne nous faisait jamais mal, nous défendait contre tous et puis, l'hiver, attelé, chaque jour il nous attendait à la porte de l'école. Quand nous allions nous promener, à notre retour, il ne finissait plus de nous témoigner sa joie, en nous léchant les mains, en gambadant, en s'étendant à nos pieds, ses grands yeux fidèles fixés sur nous avec une vraie tendresse humaine.

Il nous aimait, Zoulou. Il était de la famille. Il avait l'air de comprendre nos chagrins d'enfant, comme il comprenait nos joies, en nous sautant sur les épaules. On le sentait si dévoué, si fier, quand nos petits bras entouraient son gros cou et que sa bonne tête s'appuyait sur la nôtre. Il jouait à nos jeux, faisait tout ce qu'on lui demandait, il était à nous, il avait toujours été notre compagnon, toujours, et maintenant, il était mort, mort à jamais.

Michelle LE NORMAND
Autour de la maison
Éditions Fides

Mon dictionnaire

Les définitions qui suivent donnent uniquement le sens qu'ont les mots dans les textes de ce livre.

A

abolissait: verbe abolir
 • effacer

acariâtre: bougon

affûtés: aiguisés

agglutinant: verbe agglutiner
 • se coller ensemble

aux **aguets**: au guet

aigrette: petite plume

alchimie: mélange

alcôve: petite chambre

alleberge: sorte d'abricot

Allemagne: pays situé au centre de l'Europe

amovible: qui n'est pas fixé

Anjou: région de l'ouest de la France

arboricole: qui vit dans les arbres

aride: sans aucun cours d'eau

arpenté: parcouru

arrogant: hautain, fier

m'**assomme**: verbe assommer
 • ennuyer, embêter

authentique: vrai

avantageux: intéressant

B

Babylone: ville en ruines près de Bagdad en Irak

badigeon: peinture

balourd: maladroit

Baltique: mer du nord de l'Europe

berline: voiture à quatre roues, couverte d'une capote, tirée par des chevaux

besace: poche, sac

Blanche-Neige: personnage d'un conte des frères Grimm

bolduc: ruban

boucla: verbe boucler
  • attacher

bouffette: petit nœud de ruban

bourg: village

bruissa: verbe bruire. (*L'auteur aurait dû écrire*: **bruit**).

Buies (Arthur): journaliste québécois né en 1840, mort en 1901

butin: objets volés

C

carcan: collier de bois pour empêcher un animal de sauter les clôtures

case: cabane

Cendrillon: personnage d'un conte de Charles Perrault

Chaperon Rouge: personnage d'un conte de Charles Perrault

char: wagon

chaume: paille

chef: tête

chevelues (des racines): très petites racines

coin-couiner: crier comme un canard

conciliant: doux

contemporain: de la même époque

contraignit: verbe contraindre
  • obliger à quelque chose

coriace: résistant

cornac: personne qui prend soin d'un éléphant

couardise: lâcheté

se **cramponnait**: verbe se
   cramponner • s'accrocher

crécelle: bruit sec et aigu

crinoline: sorte de jupon

cuivre: verbe cuivrer • colorer
   de la couleur du cuivre

cynique: moqueur

D

dais: baldaquin

dalle: pierre plate

décontenancés: surpris

au **défaut**: là où il n'y a pas de
   poil

désaffecté: inutilisé

désarticulé: sans support

désœuvrement: manque
   d'activité

détonation: coup de feu

dodeline: verbe dodeliner
   • balancer doucement

Domfront: ville de l'ouest de
   la France

E

ébène: bois noir et dur

écuelle: sorte de bol

élytre: aile

embroussaillé: emmêlé

enduisait: verbe enduire
   • recouvrir

enjoindre: ordonner

s'**épivardaient**: verbe
   s'épivarder • faire sa
   toilette à la façon des oies

Éthiopie: pays situé à l'est de
   l'Afrique

exubérant: enthousiaste

F

fanion: petit drapeau

fasciné: charmé, intéressé

finouche: malin, intelligent

fjell: plateau rocheux

fjord: golfe

flageolant: tremblant

flanque: verbe flanquer • jeter

fléau: battoir à céréales

foisonnement: grand nombre

forestier: ouvrier de la forêt

fourrageait: verbe fourrager
• bouger la main, les doigts

fourré: buisson

frasil: glace flottante

friche: lieu de plantation

G

gamelle: sorte d'assiette

Gange: fleuve de l'Inde

gaule: canne à pêche

Gjatsk (Gdansk): ville du nord de la Pologne en Europe

graduellement: petit à petit

grande: jeune fille plus âgée

Groenland: territoire au nord du Québec

Gulf Stream: courant chaud qui traverse une partie de l'océan Atlantique

Guyane: région du nord-est de l'Amérique du Sud

H

Haute-Éthiopie: voir Éthiopie

hélicoïdal: qui tourne comme une hélice

hémisphérique: de forme arrondie

Hérode: administrateur de la Galilée au temps de Jésus, né en -4, mort en l'an 39

héroïques (temps): temps difficiles

hic : problème

huchée : juchée

humus : terre de surface

hurrah ! : ancienne façon d'écrire le mot hourra !

I

Inde : pays situé au sud de l'Asie ; on disait autrefois les Indes

indolent : nonchalant

infusoire : animal extrêmement petit

innove : verbe innover • faire du nouveau

insinua : verbe insinuer • dire avec l'intention de rappeler quelque chose

intact : complet

interloqué : très surpris

irrévocablement : pour toujours

isba : maison en bois de sapin des paysans russes

J

jalonnaient : verbe jalonner • marquer

Java : île de l'Indonésie

jersey : chandail de fin tricot

justaucorps : habit serré à la taille, muni de manches

L

Labrador: courant froid du nord de l'océan Atlantique

lamproie: poisson

lanière: partie molle d'un fouet

Lasson: paysan invité à la cérémonie

Légion d'honneur: décoration militaire française

Lermontov: poète et romancier russe, né en 1814, mort en 1841

ligature: lien fixé par un nœud

Limousin: région du sud-ouest de la France

litière: paille sur laquelle se couchent les animaux dans l'étable

le **Livre:** la Bible

loques: vêtements défraîchis

Loumigny: ville de l'ouest de la France

M

maculait: verbe maculer
• tacher

magnanime: bon, généreux

maléfique: mauvais

malotru: personne mal éduquée

maréchal-ferrant: forgeron

Martinique: île française des Antilles

mâtin: gros chien de garde

mette: récipient ancien

Mexique: pays au sud des États-Unis

Minganie: groupe d'îles de l'estuaire du Saint-Laurent

mitron: jeune aide-pâtissier

Moka: ville du nord de l'Afrique

262

Monterey: ville de la Californie

mosaïque: décoration faite avec des petites pièces qui forment un dessin

Moscou: capitale de la Russie

moyeu: centre d'une roue

myriade: grande quantité

N

narcotique: calmant

nasse: filet de pêche

Nazareth: ville d'Israël

un **némeraude**: déformation enfantine de une émeraude

nymphe: phase de l'insecte qui n'est pas encore adulte

O

ortie: plante irritante pour la peau

oscilla: verbe osciller
  • trembler

ouïe: organe qui permet d'entendre, d'écouter

outrecuidance: orgueil

P

paisano: personne de sang espagnol, indien et mexicain

Paris: capitale de la France

Passion: derniers jours de la vie de Jésus

Peau d'âne: personnage d'un conte de Charles Perrault

Peau-Rouge: Indien de l'Amérique

pédant: prétentieux

pelisse: manteau doublé de fourrure

perpendiculairement: debout

Petit Poucet: personnage d'un conte de Charles Perrault

pied: un pied égale 30 centimètres

pierrots: petits lutins

placide: calme

plancton: algues en suspension dans l'eau de mer

planctophage: mangeur de plancton

point: verbe poindre • se lever

poitrail: poitrine

poltron: peureux

postérité: descendance

potier: artisan qui fabrique des vases, des pots

poutre: grosse pièce de bois

préau: cour d'école

précaire: incertain

prohibait: verbe prohiber • défendre, interdire

Provence: province du sud de la France

pur-sang: de race pure

Q

Quatorze Juillet: fête nationale des Français

quien!: tiens donc! Voyons donc!

R

rance: moisi

à rebours: à reculons, à l'envers

en **rechignant**: en protestant

recru: épuisé par le travail

reel : danse populaire

répartie : réplique rapide

repu : qui n'a plus faim

répulsif : qui repousse, déplaisant

réticence : hésitation, doute

rigaudon : danse à deux temps

Romaine : rivière du Québec

S

sagace : sage

Saint-Pétersbourg : ville de Russie

sanguinolent : mêlé d'un peu de sang

sanskrit : une des langues de l'Inde

savane : vaste prairie

silurien : d'une période de l'ère primaire de la terre

Smolensk : ville de Russie

submersible : sous-marin

subterfuge : truc

supprimé : tué

T

tactique : façon prudente d'agir

Terre-Neuve : province de l'est du Canada

Tibériade : lac d'Israël

trépied : support pour la caméra

tressauter : sautiller

trognon : enfant mignon

V

vaciller : trembler

veule : sans énergie

vexe : verbe vexer • se fâcher

vibrisse : poil

viejo : vieillard

vilain : paysan pauvre

vinrent : verbe venir • arriver

vulnérable : incapable de se défendre

Dictionnaire
des auteurs et auteures

ALAIN-FOURNIER :

écrivain français (1886-1914) ; son unique roman est très populaire auprès des lecteurs adolescents. *Le Grand Meaulnes* a été publié en 1913.

Honoré de **BALZAC** :

romancier français (1799-1850) ; auteur d'un vaste ensemble de romans, *La Comédie humaine*, qui étudient les divers visages de la société. L'un des volets, *Eugénie Grandet*, a paru en 1833.

Simone de **BEAUVOIR** :

femme de lettres française (1908-1986) ; elle a écrit ses souvenirs d'enfance et de jeunesse, des romans et des essais. *Mémoires d'une jeune fille rangée* a été publié en 1958.

Nina **BERBEROVA** :

femme de lettres russe (1901-1993) ; elle a vécu en France et aux États-Unis. *C'est moi qui souligne* a paru en 1989.

Marie-Andrée **BOUCHER-MATIVAT** :

elle a publié *Drôle de moineau* au Québec, en 1991.

Simone **BUSSIÈRES** :

née à Québec ; elle a publié plusieurs ouvrages destinés aux écoliers, dont *C'est ta fête*, paru en 1981.

François René de **CHATEAUBRIAND** :

> écrivain français (1768-1848) ; il a voyagé en Amérique et a vécu en Angleterre ; a publié des essais, des romans et son autobiographie. *Mémoires d'outre-tombe* a été publié en 1899.

COLETTE :

> romancière française (1873-1954) ; elle a écrit de nombreux ouvrages, dont plusieurs parlent des animaux de compagnie qu'elle aimait particulièrement. *La Paix chez les bêtes* a paru en 1933.

Monique **CORRIVEAU** :

> romancière née à Québec (1927-1976) ; elle a écrit pour les jeunes une dizaine de romans. *Les Saisons de la mer* a été publié en 1975.

Guy **DESSUREAULT** :

> romancier né à Trois-Rivières, au Québec ; son premier roman, *La Maîtresse d'école*, a été publié en 1985.

Réjean **DUCHARME** :

> écrivain né à Saint-Félix-de-Valois, au Québec ; il a publié des romans et du théâtre et rédigé des scénarios pour le cinéma. Son troisième roman, *L'Océantume*, a paru en 1968.

Georges **DUHAMEL** :

> écrivain français (1884-1966) ; son œuvre comprend des romans, des poèmes, des pièces de théâtre, des récits.

Françoise **DUMOULIN-TESSIER** :

> romancière née à Québec ; elle a écrit des romans et des radiothéâtres. *Quatre jours, pas plus !* a été publié en 1982.

Jacques **FERRON** :

> écrivain né à Louiseville, au Québec (1921-1985) ; il a écrit des romans et des contes. *Les Confitures de coings* a été publié en 1972.

Odette **FONTAINE** :

> poétesse née à Québec ; elle a mérité le prix du Maurier pour son recueil intitulé *Les Joies atroces*, publié en 1962.

Anne **FRANK** :

> adolescente juive, née à Amsterdam, aux Pays-Bas (1929-1945) ; elle a écrit son journal durant la guerre de 1939-1945, alors que sa famille vivait cachée pour échapper à la Gestapo. Le *Journal d'Anne Frank* a paru en 1950.

Gérald **GODIN** :

> poète né à Trois-Rivières, au Québec ; ses poèmes ont été réunis sous le titre de : *Ils ne demandaient qu'à brûler*, paru en 1987.

Monique de **GRAMONT**

> elle a publié *La clé de Fa* au Québec, en 1988

Flora et Benoîte **GROULT** :

> romancières belges ; les deux sœurs ont rédigé en collaboration plusieurs de leurs ouvrages dont *Le Féminin pluriel*, paru en 1965.

Germaine **GUÈVREMONT** :

> romancière née à Saint-Jérôme, au Québec ; elle a fait paraître des nouvelles et des romans. *Le Survenant* a été publié en 1945.

Anne **HÉBERT** :

poétesse et romancière née à Sainte-Catherine de Fossambault, au Québec ; *l'Enfant chargé de songes*, son dernier roman, a été publié en 1992.

Philippe **JACQUIN** :

il a publié *Népal* en 1982.

Naïm **KATTAN** :

romancier né à Bagdad, en Iran ; il a fait paraître au Québec des nouvelles et des romans écrits en français. *Adieu, Babylone* a été publié en 1975.

Joseph **KESSEL** :

écrivain d'origine argentine (1898-1979) ; il a vécu en Russie et en France, a voyagé à travers le monde comme journaliste. *Le Lion* a été publié en 1958.

Rudyard **KIPLING** :

écrivain anglais né à Bombay, en Inde (1865-1936) ; les amateurs de dessins animés connaissent tous son célèbre Mowgli. *Le Livre de la jungle* a paru en 1894.

Selma **LAGERLÖF** :

romancière suédoise (1858-1940) ; elle a écrit des ouvrages pour adultes, mais c'est aux enfants qu'elle a dédié *Le merveilleux voyage de Nils Holgersson*. Ce livre a paru en 1906.

Rina **LASNIER** :

poétesse née à Saint-Grégoire d'Iberville, au Québec ; ses poèmes ont été publiés de 1939 à 1986. Elle a obtenu de nombreux prix dont le prix Athanase-David en 1974.

Hélène **LE BEAU** :

romancière née à Montréal, au Québec ; son premier roman, *La Chute du corps*, a été publié en 1992.

Michelle **LE NORMAND** :

femme de lettres née à l'Assomption, au Québec (1893-1964) ; elle a publié une série pour les jeunes, « Perrine et Charlot ». *Autour de la maison*, paru en 1916, relate des souvenirs d'enfance.

Michèle **MAILHOT** :

romancière née à Montréal, au Québec ; elle a écrit plusieurs ouvrages dont *Béatrice vue d'en bas*, publié en 1988.

Henriette **MAJOR** :

née à Montréal, au Québec ; son œuvre comprend des contes, du théâtre et des romans pour les jeunes. « Le violon enchanté » est une adaptation d'un conte transcrit par Louis Fréchette en 1908.

Katherine **MANSFIELD** :

romancière née en Nouvelle-Zélande (1888-1923) ; elle a publié son journal et des nouvelles. *La Garden party* a paru en 1922.

Clément **MARCHAND** :

journaliste, éditeur et poète né à Trois-Rivières, au Québec ; ses principaux ouvrages ont paru en 1940 et en 1947.

Frère **MARIE-VICTORIN**, né Conrad Kirouac :

botaniste et écrivain né à Kingsey Falls, au Québec (1885-1944) ; il est l'auteur de *La Flore laurentienne*. La *Flore de l'Anticosti-Minganie* a été publiée en 1969.

Claire **MARTIN** :

> romancière et nouvelliste née à Québec ; le premier tome de ses souvenirs d'enfance, *Dans un gant de fer*, a été publié en 1965.

Madame Jules **MICHELET** :

> épouse de l'historien Jules Michelet (1826-1899) ; elle a publié le journal de son mari et ses propres souvenirs dans *Mémoires d'une enfant*.

Marianne **MONESTIER**

> elle a publié une biographie du docteur Albert Schweitzer, *le Grand Docteur blanc*, en 1959.

Pierre **MORENCY** :

> poète né à Lauzon, au Québec ; il a consacré de captivantes chroniques radiophoniques à l'observation de la nature. *L'Œil américain* a été publié en 1989.

La princesse Lucien **MURAT** :

> elle a publié une biographie de *la reine Christine de Suède* en 1934.

Marie **NOËL** :

> poétesse française (1833-1967) ; elle a passé toute sa vie dans sa Bourgogne natale. *Les Chansons et les heures* ont paru en 1921.

Gabrielle **POULIN**

> romancière née à Saint-Prosper, au Québec ; elle a publié des poèmes, des essais et des romans. La première édition de *Cogne la caboche* a paru en 1979 (Éd. Stanké), la deuxième en 1990 (Éd. VLB).

Léon **PROVANCHER** :

> naturaliste né à Bécancour, au Québec (1820-1892) ; fondateur de la revue *Le naturaliste canadien* ; il a publié plusieurs ouvrages. *Une excursion aux climats tropicaux* a paru en 1890.

François **RABELAIS** :

> écrivain français (1495-1553) ; il a créé une foule de personnages, tels Gargantua et Pantagruel, il y a cinq cents ans. *Pantagruel* a été publié en 1532.

Jules **RENARD** :

> écrivain français (1864-1910) ; il a publié des pièces de théâtre. Son ouvrage, intitulé *Poil de carotte*, paru en 1894, a été adapté au théâtre.

Marie-Thérèse **RENOU** :

> elle a publié ses ouvrages, dont *Cent et un contes choisis*, en France.

Gabrielle **ROY** :

> romancière canadienne née au Manitoba (1909-1983) ; elle a obtenu le prix Fémina en 1947. *Rue Deschambault* a été publié en 1955.

Robert **SABATIER** :

> écrivain français ; il a publié des romans, des poèmes et des essais. Il raconte ses souvenirs d'enfance dans *Les Noisettes sauvages*, paru en 1974.

Hector de **SAINT-DENYS GARNEAU** :

> poète né à Montréal, au Québec (1912-1943) ; ses poésies ont paru en 1937 sous le titre de *Regards et jeux dans l'espace*.

Antoine de **SAINT-EXUPÉRY** :

>aviateur et écrivain français (1900-1944) ; auteur de plusieurs essais et romans. Son troisième ouvrage, *Terre des hommes*, a paru en 1939.

COMTESSE de SÉGUR, née Sophie **ROSTOPCHINE** :

>femme de lettres d'origine russe (1799-1874) ; elle vécut en France et s'y maria. Elle écrivait en français. *Le Général Dourakine* a été publié en 1866 et *Mémoires d'un âne* en 1860.

Éva **SENÉCAL** :

>poétesse et journaliste née à La Patrie, au Québec (1906-1988) ; ses premiers ouvrages ont paru en 1931 et en 1933.

V.J. **STANEK** :

>entomologiste né en Tchécoslovaquie ; la traduction française de son *Encyclopédie illustrée des insectes* a été publiée en 1974.

John **STEINBECK** :

>romancier américain (1902-1968) ; il a obtenu le prix Nobel de littérature en 1962. *Tortilla flat* a paru en 1935.

Jonathan **SWIFT** :

>écrivain irlandais (1667-1745) ; le plus populaire de ses ouvrages de fiction, *Les Voyages de Gulliver*, a été publié en 1726.

Jean et Jérôme **THARAUD** :

>écrivains français (Jean 1877-1952 ; Jérôme 1874-1953) ; ils ont signé ensemble des ouvrages d'inspiration religieuse ou philosophique. *Les Contes de la Vierge* ont paru en 1940.

Yves **THÉRIAULT** :

> romancier né à Québec (1915-1983) ; il a publié des nouvelles, des contes et des romans dont le célèbre *Agaguk*, en 1958. *La Femme Anna et autres contes* a paru en 1981.

André **THEURIET** :

> écrivain français (1833-1907) ; il a écrit des romans, de la poésie et des contes.

Henri **TROYAT** :

> romancier d'origine russe ; il a publié en français une soixantaine d'ouvrages : théâtre, essais, nouvelles et romans. *Amélie* a paru en 1953.

Diane **TURCOTTE**

> son texte intitulé *La migration* a paru dans le deuxième ouvrage de la collection « Les petites boîtes », publié en 1983.

Boris **VIAN** :

> écrivain français (1920-1959) ; il a publié des livres de poésie et des romans, dont *L'Écume des jours*, paru en 1947.

Karol **WOJTYLA** :

> prénom et nom du pape actuel Jean-Paul II, né en Pologne ; ses poèmes ont été publiés en 1960 sous le titre de *La Boutique de l'orfèvre*.

Achevé d'imprimer
en l'an mil neuf cent quatre-vingt-quatorze
sur les presses des ateliers Guérin,
Montréal (Québec)